Conteúdo de marca

CIP-BRASIL. CATALOGAÇÃO NA PUBLICAÇÃO
SINDICATO NACIONAL DOS EDITORES DE LIVROS, RJ

M887c

Moura, Leonardo
    Conteúdo de marca : os fundamentos e a prática do branded content / Leonardo Moura. - 1. ed. - São Paulo : Summus, 2021.
    144 p. : il.

    Inclui bibliografia
    ISBN 978-65-5549-029-9

    1. Publicidade. 2. Marketing. 3. Mídia (Publicidade). 4. Publicidade - Comercialização. I. Título.

21-69902   CDD: 658.8
                                                 CDU: 658.8

Camila Donis Hartmann - Bibliotecária - CRB-7/6472

www.summus.com.br

Compre em lugar de fotocopiar.
Cada real que você dá por um livro recompensa seus autores
e os convida a produzir mais sobre o tema;
incentiva seus editores a encomendar, traduzir e publicar
outras obras sobre o assunto;
e paga aos livreiros por estocar e levar até você livros
para a sua informação e o seu entretenimento.
Cada real que você dá pela fotocópia não autorizada de um livro
financia o crime
e ajuda a matar a produção intelectual de seu país.

Conteúdo de marca

Os fundamentos e a prática do *branded content*

LEONARDO MOURA

summus
editorial

CONTEÚDO DE MARCA
Os fundamentos e a prática do branded content
Copyright © 2021 by Leonardo Moura
Direitos desta edição reservados por Summus Editorial

Editora executiva: **Soraia Bini Cury**
Assistente editorial: **Michelle Campos**
Capa: **Alberto Mateus**
Diagramação: **Crayon Editorial**

Summus Editorial

Departamento editorial
Rua Itapicuru, 613 – 7º andar
05006-000 – São Paulo – SP
Fone: (11) 3872-3322
http://www.summus.com.br
e-mail: summus@summus.com.br

Atendimento ao consumidor
Summus Editorial
Fone: (11) 3865-9890

Vendas por atacado
Fone: (11) 3873-8638
e-mail: vendas@summus.com.br

Impresso no Brasil

Para meus alunos, professores e todos os profissionais que unem criatividade, visão de negócio e capacidade analítica – três atributos fundamentais para quem quer trabalhar com narrativas para marcas.

Sumário

1 Conteúdo de marca: contexto mercadológico 11

2 A marca na perspectiva do nosso tempo 15
    Marcas e público: ambos querem ser compreendidos . . 18
    O ser é humano onde não pensa 20
    A marca no divã 22
    A relação entre arquétipos e impressões 24
    Exemplos de arquétipos masculinos e femininos 26
    Um jamaicano no campo da cultura e da comunicação . . 28
    Caso ilustrativo: a Perdigão 30
    O viés inconsciente 31
    Cultura: o menu das possibilidades de identificação . . . 32
    Recapitulando a questão dos vieses inconscientes 34
    Revisão aprofundada do processo das
    formações identitárias 35

3 A escalada imagética rumo à publicidade 37
    A demanda de imagens 39

Vídeo: imagem e espetáculo em escala 42
A evolução da publicidade 44

4 O que é conteúdo? 47
Branded content como conteúdo 50
Branded content e propósito 53
Valor e consumidor 56

5 A narrativa como representação do nosso tempo 61
O propósito nas narrativas 63
A relação entre o espírito do tempo e o
conteúdo de marca 65
Um exemplo no segmento de varejo 65

6 O papel do *branded content* na jornada da marca 67
O funil de marketing 70
Localizando melhor a contribuição dos meios 74
Um exemplo de atribuição na categoria de tintas . . . 76
Outro exemplo: agora, no segmento de bebidas . . . 78
Um exemplo do varejo 78
O funil pós-compra 79
Mensuração 81
O lide 84
O conteúdo de marca e o meio do funil 85
ROI *versus* KPI 87
Investimentos e objetivos 89
A visão do posicionamento 92
A definição de território 93
Parcerias 96
Conteúdo 97
Awareness (de novo!) 99

7 Exemplos das práticas de marcas em *branded content* . . .101
    Gêneros das narrativas 102
    Produção ficcional 104
    Apropriação factual 107
    Jogos e competições 121
    As *lives* consolidadas como formato de
    entrega musical 129
    Cruzamento de narrativas entre mais de uma marca . . .131

8 Reflexão final 133

Referências .137

1.
Conteúdo de marca: contexto mercadológico

Dos 20 anos da carreira em marketing e dos dez de experiência gerenciando projetos comerciais, foi nos últimos quatro que percebi um grande aumento no interesse pelo conteúdo de marca, ou *branded content*. Apesar da estabilidade do termo no Google Trends entre 2014 e 2019, com picos de pesquisa sobre o tema no Brasil em alguns momentos, hoje é notória a preocupação das marcas com a forma de se comunicar com o consumidor. O formato não é novo nas narrativas publicitárias, mas ganhou relevância devido a cinco fatores que, estruturalmente, modificam a indústria de publicidade:

1. O surgimento de plataformas digitais sociais e de vídeo, sobretudo o YouTube, que abriram espaço para que pessoas físicas e jurídicas produzam, publiquem e promovam conteúdo, tornando-se *publishers*.
2. A necessidade das marcas de construir conversas e estreitar o engajamento com os consumidores para evitar desperdícios em mídia paga.

3. A crença de que, diante do surgimento da geração Y ou *millennials* – que valorizaria universalmente a verdade por trás de uma marca –, os anunciantes devem expressar seus valores em sua atividade.
4. O fato de o vídeo *on demand* ter se tornado a mídia privilegiada no imaginário de formadores de opinião quando o assunto é entretenimento audiovisual: mais da metade da população mundial faz do entretenimento em vídeo o principal produto consumido on-line[1].
5. A ideia, disseminada entre determinados grupos publicitários, de que a audiência não consome mais publicidade em formatos tradicionais e interruptivos, como comerciais de TV, *display ads*[2] ou *pre-rolls*[3] de vídeo.

O lugar de onde falo é de vivência como profissional ativo na área de conteúdo de marca e de pesquisador. Meu intuito com este livro é divulgar a prática e a produção científica que abrangem o *branded content* sem tratar o assunto de maneira rasa. Afinal, ele marca o início de um futuro longevo para os profissionais da área e os consumidores de marcas e entretenimento. O tema e o tempo em que vivemos estão conectados aos discursos das marcas. E isso passa pelo conteúdo.

No meu percurso, tive o privilégio de estar inserido na atividade de uma marca que revisava constantemente sua forma de atuar, visando anunciar em formatos que fossem efetivos

---

[1]. Simon Kemp, "Global social media users pass 3.5 billion". We Are Social, 17 jul. 2019. Disponível em: <https://wearesocial.com/blog/2019/07/global-social-media-users-pass-3-5-billion>. Acesso em: 4 jan. 2021.
[2]. *Display ads*: anúncios em forma de imagem distribuídos em *sites* e aplicativos de celular e TV, geralmente em formato de *banners* ou botões com apelos de oferta ou clique.
[3]. *Pre-rolls*: anúncios, em vídeo ou estáticos, que antecedem conteúdos em vídeo.

para a atração de consumidores. Essa marca ainda tinha o bônus de ser um veículo de comunicação. Eu poderia, inclusive, dizer que representei no mercado brasileiro um veículo que se transformou em marca. O efeito é o mesmo. Estou me referindo à GNT, canal de TV por assinatura do Grupo Globo fundado em 1991 que se desenvolveu com o advento do meio no Brasil. Foram mais de 200 projetos formatados, mais de 175 anunciantes envolvidos em projetos fechados, 84 agências parceiras e mais de 30 produtores e demais realizadores associados. Tive a oportunidade de estruturar projetos em parceria com empresas anunciantes e tentar compreender o que queriam do GNT como marca e veículo. Praticamente todos os setores econômicos realizaram conosco ações de conteúdo, cocriando com nosso time ou construindo narrativas próprias que foram exibidas nas plataformas do canal por serem pertinentes para a audiência.

Inicio aqui uma reflexão que permeia todo o livro: o que pode ser classificado como conteúdo de marca? Muitos publicitários acreditam, erroneamente, que todo *branded content* é entretenimento promovido por uma marca (*branded entertainment*). Há também a falsa crença de que, se não for *branded entertainment*, a publicidade já não é pertinente para a audiência. Assim, faz-se necessário um recorte teórico fundamentado a fim de organizar essa visão e esclarecer os conceitos nela envolvidos.

Ao longo da leitura, entenderemos melhor o espectro de caracterização desses conteúdos e refletiremos sobre como a indústria de publicidade lida com cada um deles. Falaremos também sobre o papel dessas realizações para marcas em táticas de mídia, questionaremos a real necessidade de um propósito para anunciantes e discutiremos por que o formato em vídeo é a grande estrela das narrativas em publicidade. Com embasamento teórico, analisaremos os fatores que movem o mercado publicitário no Brasil, entendendo sua abrangência mercadológica, imagética e midiática e conciliando conceitos e prática.

E, desde já, faço um alerta: esta obra não mostra apenas *cases* vitoriosos, mas exemplos de atuação das marcas para ilustrar os conceitos apresentados. *Case*, da forma como vem sendo apresentado ao mercado, é algo hermético e de resultado pretensioso. Tem sido usado para, em algum momento, fechar-se num discurso de sucesso. Se já nasce com esse propósito, o *case*, por ser efêmero, inviabiliza o *branded content* numa estratégia de construção de marca. Tal construção deve ser pautada por valores (algo diferente de propósito). E os valores são alicerces do posicionamento, elemento fundamental para que o consumidor consiga localizar a marca num mundo excessivamente simbólico e verifique como ela pode atender às suas necessidades. Os valores são também a base do conteúdo de marca. Para entender melhor a razão dessas distinções que proponho, faz-se necessária uma arqueologia conceitual de elementos da prática da publicidade; começaremos conceituando a marca – pedra fundamental de um *branded content*. Será o tema um tanto óbvio? Convido o leitor a chegar a conclusões próprias.

2.
A marca na perspectiva do nosso tempo

Na visão de seus gestores, a marca tem um significado. Contém elementos que deveriam estar claros para todos os que com ela se relacionam. A marca pretende compartilhar esse significado em sua comunicação. Mas o que ela significa para quem a percebe está além das produções do seu emissor. Há, naturalmente, uma intenção por trás de qualquer tipo de comunicação de uma marca. Porém, o significado que essa comunicação terá para o receptor não é exatamente simétrico ao pretendido por quem a emite: depende de fatores sociais, culturais e cognitivos que estão além do controle do emissor.

Vejamos um exemplo prático. Em 2015, a campanha de carnaval da cerveja Skol apresentava dois títulos: "Esqueci o não em casa" e "Topo antes de saber a pergunta". A campanha, criada pela agência F/Nazca, tinha como tema dizer mais "sim" aos convites da vida e deixar-se levar pelas oportunidades. Algumas consumidoras, entre elas uma publicitária e uma jornalista ativas em redes sociais, viralizaram a campanha, mas não da forma como a Skol imaginou. Sentindo-se extremamente incomodadas pelo discurso, promoveram debates em redes sociais sobre a campanha, ampliando entre outras mulheres a identificação com o incômodo. A Ambev, detentora da marca Skol, pronunciou-se publicamente da seguinte forma:

> As peças em questão fazem parte da nossa campanha "Viva RedONdo", que tem como mote aceitar os convites da vida e aproveitar os bons momentos. No entanto, fomos alertados nas redes sociais que parte de nossa comunicação poderia resultar em um entendimento dúbio. E, por respeito à diversidade de opiniões, substituiremos as frases atuais por mensagens mais claras e positivas, que transmitam o mesmo conceito. Repudiamos todo e qualquer ato de violência, seja física ou emocional, e reiteramos o nosso compromisso com o consumo responsável. Agradecemos a todos os comentários.

A campanha foi rapidamente substituída por outros títulos: "Quando um não quer, o outro vai dançar", "Tomou bota? Vai atrás do trio" e "Não deu jogo? Tire o time de campo". Mas o significado para quem recebeu a mensagem das peças da primeira onda da campanha teve um grave efeito colateral. Por mais que a marca pudesse explicar o contexto do pensamento que embasou a criação, foi fundamental considerar a repercussão simbólica das peças com base no repertório de outros formadores de opinião e, sem apego, corrigir o erro. Nesse caso, é importante notar que existia a possibilidade de fazer tal correção porque isso não teria impacto no negócio da cervejaria. Ao contrário: não fazê-la poderia distanciar a Skol dos principais valores construídos ao longo do tempo para a sua marca – a capacidade de inovação e a possibilidade de ser referência entre o público jovem. Esses eram os ativos a ser preservados.

Uma representação contra a campanha da Skol foi aberta no Conselho Nacional de Autorregulamentação Publicitária (Conar). No entanto, o órgão decidiu pelo arquivamento, justificando, no voto que definiu o caso, que a primeira onda da campanha não fez declarações maliciosas nem refletia a recomendação do anunciante. Dentro do próprio conselho, o relator que representava os consumidores alegou que, isoladamente, as frases traziam interpretações dúbias. Em 2017, dois anos após o tumulto que elucidava a multiplicidade de interpretações por trás de um enunciado, a Skol, ao lado da sua agência, a F/Nazca, tomou outra atitude importante: assumiu um passado machista, comum ao universo das cervejarias, mas que rapidamente vem mudando, e convidou ilustradoras engajadas com a causa feminista a refazer os cartazes de comunicação da marca para uma campanha digital para o Dia Internacional da Mulher daquele ano.

Também em 2015, O Boticário colocou no ar uma campanha de Dia dos Namorados em que, entre três diferentes casais que se encontravam e se presenteavam, um deles era composto por um par homossexual cisgênero masculino e outro, por um casal homossexual cisgênero feminino. A trilha do filme publicitário era "Toda forma de amor", de Lulu Santos. As críticas daqueles que se sentiram ofendidos pela campanha foram parar nas redes sociais da marca, bem como os elogios de quem apreciou a narrativa inclusiva. A partir de então, posicionando-se de forma a defender o que veiculou, O Boticário formatou uma colcha de valores que, campanha após campanha, aderiram à sua marca: valores inclusivos e, sobretudo, humanos. É fato que boa parte da indústria do setor de higiene pessoal e beleza abraçou a diversidade como narrativa de sustentação da comunicação e como negócio ao rever seu portfólio. Diferentemente da Skol, que buscava preservar a afinidade com o público jovem como valor e ajustou seu percurso, O Boticário ainda caminhava para construir uma percepção afetiva para o consumidor e defendia sua escolha. Essa percepção é o que podemos chamar de significado, pois ela acontece na esfera íntima do receptor. Já a forma como a marca comunica é chamada de significante, ocorrendo na esfera do emissor. Podemos resumir da seguinte forma o processo de comunicação publicitária:

Emissor	Marca
Significante	A intenção da marca
Codificação	O que a marca propaga, o que comunica e como comunica
Receptor	Aquele que é impactado pelo que a marca comunica
Decodificação	Como o receptor entende o que a marca comunica
Significado	O que é assimilado pelo consumidor

MARCAS E PÚBLICO: AMBOS QUEREM SER COMPREENDIDOS

O mundo ideal das marcas é muito semelhante ao nosso mundo ideal particular. É gratificante quando nosso interlocutor aparentemente entende a mensagem que queremos que seja compreendida. Para as marcas, na condição de sujeitos de comunicação, o processo de gratificação é o mesmo. Quando o consumidor demonstra entender o que a marca comunica, e dá esse retorno com paixão, consumo e apologia a seus produtos, ela é bem-sucedida em seu objetivo. Estabelece-se aí uma relação: o consumidor fala ou desfruta da produção da marca. A consistência da mensagem jamais é óbvia para todos os que se relacionam nesse campo de comunicação: a marca, se age como reprodução de sujeito viciado em falar de forma unidirecional e de pouca escuta, precisa considerar melhor as vivências de seu público e de seu consumidor para fazer-se entendida.

O ser humano é complexo em quaisquer esferas que queiram analisá-lo – inclusive no mundo corporativo, composto por profissionais que exercem na prática o que estudaram em sua formação, mas que, ao longo da carreira, podem ter perdido contato com a ciência ou têm pouco incentivo ou orçamento para se dedicar às pesquisas e aos dados. Muitos ainda consideram ter pouco tempo para refletir ou se acostumaram a se atualizar em eventos em que sua atenção é diluída entre o celular e as cápsulas de informação despejadas por um palestrante. O mundo, sabemos, quer respostas rápidas, instantâneas. O ônus disso é a superficialidade – situação que, no dia a dia, talvez o marketing possa reverter. Saber onde se posicionar, tanto no papel de emissor quanto no de receptor, requer flexibilidade. E, em consequência, demanda que se enxergue o humano por trás da marca. A cognição está além do que é visível ou assimilado pelo intelecto. Os profissionais precisam ver além – acionar aquilo que não é dito – para entender por que algumas narrativas funcionam e outras não.

Leonardo Moura

O SER É HUMANO ONDE NÃO PENSA

Imagine ter, se já não teve, a oportunidade de estruturar um questionário para uma grande massa de consumidores pedindo posições objetivas diante de perguntas como:

Compraria?	( ) Sim ( ) Não
Gostaria que o produto mudasse?	( ) Sim ( ) Não

Tão clássica quanto a Coca-Cola é a história da empresa na década de 1980, nos Estados Unidos. Diante da ameaça de sedimentação do crescimento da participação de mercado da Pepsi-Cola, a Coca-Cola decidiu estruturar uma investigação sobre o que a concorrente tinha que a lata vermelha não tinha. Em grupos de discussão, em meio a testes de sabor às cegas com consumidores e outros métodos eventuais de mapeamento do problema e das possíveis soluções, constatou-se que deveriam lançar uma Coca-Cola nova, que representasse mais uma oportunidade de escolha da nova geração de consumidores americanos aparentemente inclinada a consumir Pepsi. A New Coke foi lançada para gradativamente substituir a Coca-Cola habitual. Lembro-me de ter visitado os Estados Unidos nessa época, quando criança, e de quão confuso foi constatar que, nas gôndolas, além da New Coke e da Pepsi-Cola, havia a Coca-Cola Classic[4]. Na tentativa de contornar a crise que se anunciava, a empresa resolveu recolocar a versão anterior na prateleira para que o consumidor pudesse

---

[4]. Thiago Terra, "O que o caso New Coke ainda pode ensinar". *Exame*, 27 out. 2010. Disponível em: <https://exame.com/marketing/o-que-o-caso-new-coke-ainda-pode-ensinar/>. Acesso em: 21 ago. 2019.

escolher entre dois produtos estranhos: um classificado como novo, com alta experimentação e, na sequência, baixa adesão; outro, como clássico, ou seja, aquele que os pais bebiam, mas que os jovens da geração X (nascidos entre 1960 e 1979) declararam que não consumiriam, por ser o refrigerante da geração anterior. O resultado foi o insucesso da New Coke, que seria gradualmente removida do mercado a partir de 1985 e reapareceria em cena apenas em 2019, na série *Stranger Things*, quando a Coca-Cola transformou seu erro de negócio num momento de memória afetiva na ficção da Netflix. O saudosismo exposto na série com a ação comercial da Coca-Cola integrada à narrativa ainda permitiu que, no mesmo ano, a gigante dos refrigerantes relançasse temporariamente a New Coke no mercado americano[5]. O resultado foi que, em 2019, voltava ao mercado um produto fracassado na década de 1980, com consumidores dispostos a readquiri-lo temporariamente – não pelo sabor, com certeza, mas por elementos saudosistas ativados pela bem-sucedida série da Netflix. É muito provável que, ao ser indagado sobre seu interesse no relançamento da New Coke, um consumidor de Coca-Cola que tivesse tido a oportunidade de experimentar os dois produtos (Classic e New) diria não ter a menor intenção de adquirir o hábito de comprá-la, mesmo que temporariamente. Então, por que uma série de ficção como *Stranger Things*, que não é um *branded content* promovido pela Coca-Cola, mas permitiu ações comerciais dessa e de outras marcas (como

---

[5]. Agência EFE, "'Stranger Things': Coca resgata New Coke, fiasco nos anos 80, para divulgar série". *UOL*, 21 maio 2019. Disponível em: <https://entretenimento.uol.com.br/noticias/efe/2019/05/21/para-divulgar-stranger-things-new-coke-retorna-apos-fracasso-nos-anos-80.htm>. Acesso em: 19 ago. 2019.

Gap, Levi's, Burger King e JCPenney) integradas à narrativa, ativou o interesse do consumidor pelo produto?

A MARCA NO DIVÃ

Para fazer uma transição analítica do marketing a uma visão mais singular do ser humano, busco referencial teórico na semiótica e na psicanálise, áreas de minha atividade e formação que, acredito, contribuem para a explicação do fenômeno por trás da mente do consumidor. Para tanto, abordo especificamente a produção de um profissional da psicanálise que migrou para a comunicação e foi celebrado por grandes marcas devido ao seu entendimento dos códigos culturais. Clotaire Rapaille é um consultor de marketing francês com graduação em Ciência Política e Psicologia no Instituto de Estudos Políticos de Paris e na Sorbonne, respectivamente. Trabalhou com inúmeras multinacionais de bens e serviços (P&G, L'Oréal, IBM, DuPont, Johnson & Johnson, Renault, entre outras). Em 2006, publicou O *código cultural*, livro que se propõe a esclarecer sua metodologia. Ali, expõe o motivo pelo qual decisões globais não podem ser aplicadas a diferentes culturas. Suas conclusões podem até mesmo espantar, pois não revela o percurso que o levou a decifrá-las. Ele não entrega seu ouro. Ainda assim, suas teorias não podem ser consideradas visões de um assertivo guru, sendo fundamentadas na análise psíquica de indivíduos pertencentes a diferentes culturas.

Proponho nos atentarmos ao principal conceito que Rapaille compartilha – que não vem dele, e sim de Sigmund Freud. Rapaille baseia-se no princípio psicanalítico de que as referências que recebemos na primeira infância serão definitivas para nosso inconsciente. Elas grudam em afetos estruturantes de nossa formação psíquica, com reflexos em nossa personalidade, sexualidade e escolhas. Esse é um conceito essencialmente psicanalítico que, de tão desprezado pela ascensão do behaviorismo no mercado norte-americano, deu espaço para o brilho de figuras que se propuseram a decifrar códigos com essa lente. Na nossa formação da primeira infância (aquela que vai até os 6 anos de idade), figuras maternais e paternais serão o referencial básico de amor e lei, com um entendimento dos limites de cada um dos lados. É após a primeira infância que a criança tem estruturadas sua visão de lei e sua história cronológica. Na maioria das vezes, ela deixa de se entender como o centro do mundo e caminha para tentar refazer para si o paraíso perdido na infância por meio daquilo que quer ou pode ser. É no balanço de amor e ódio da busca desse paraíso perdido que nós, seres humanos, nos constituímos. Toda informação que recebemos durante a primeira infância tem alta capacidade de se conectar com elementos mais profundos da nossa psique. E é a psique que rege as conexões afetivas mais importantes da nossa vida. Importante ressaltar que o conceito de afeto, em psicanálise, é a carga relativa à intensidade de amor e ódio que colocamos em relações e vínculos que nos são caros. Baratos são os vínculos que nos são indiferentes. Repare que nos relacionamos com diversas pessoas, marcas ou outros elementos de nossa cultura, mas grande parte dessas relações não representa vínculo. Elas acontecem num registro mental racional que, claro, pode reger nossas personas sociais e ajudar nossa agenda cognitiva. Mas é fato que, para vincularem-se, essas relações precisariam atingir as profundezas da mente.

Quando a relação se torna também passional, o vínculo existe, seja ele em maior ou menor intensidade, seja ele de amor ou de ódio. O resto é superfície.

Rapaille nos relembra de que, quando crianças, precisamos dar sentido a um mix de emoções. Saber nomeá-las é parte de nossa evolução como seres humanos. Mas, como toda criança, crescemos numa sociedade altamente imagética, produtora e reprodutora de elementos culturais que formam primordialmente arquétipos e, secundariamente, o que Rapaille nomeou *imprints* ("impressões", em tradução livre, termo que adotaremos no decorrer deste capítulo para melhor compreensão).

A RELAÇÃO ENTRE ARQUÉTIPOS E IMPRESSÕES

A arqueologia dos arquétipos e a investigação das impressões propostas por Rapaille são fundamentais para uma estratégia de marca que requer formação de vínculos com o ser humano. Entender a simbologia por trás do que é dito minimiza o fracasso de quem quer estabelecer comunicação. Boaventura de Sousa Santos, cientista social português e professor das Universidades de Wisconsin-Madison, Warwick e Coimbra, nos lembra que, enquanto Freud ampliou o conceito de mente para dentro (permitindo abranger o inconsciente), foi necessário ampliá-lo para fora com Carl Jung, reconhecendo a existência de fenômenos mentais para além dos individuais humanos. A teoria psicanalítica entende o ser humano como um corpo pulsional. As pulsões são impulsos neuronais que visam descarregar tensão. Esta é descarregada no que Freud estabeleceu como vida ou morte. As tópicas das pulsões são parte da investigação da metapsicanálise e têm sua estrutura teórica profunda, que vale a pena ser conferida por quem tem paixão pelo conhecimento da mente humana. Aqui, saltemos para a formatação final que nos atende como profissionais ou estudiosos do marketing e da comunicação. A pulsão de vida é aquilo que nos move para o mundo. São nossos investimentos afetivos positivos. O sexo e o amor estão nela contidos antes de ser expressos plasticamente. As pulsões de morte são nossos investimentos negativos. São agressivos quando se dirigem ao outro em forma de destruição, como guerras ou até brigas de trânsito. Aqui, o ódio está presente. Porém, a pulsão de morte também se dirige contra nós mesmos, como no caso da depressão, do suicídio ou do autoboicote. A pulsão nasce em nosso âmago carnal e psíquico e escolhe um objeto para descarga, seja positivo ou negativo. Os outros mamíferos são regidos pelo instinto, que difere da pulsão. O instinto também nasce do âmago carnal das espécies, carrega uma tensão que necessita de um objeto para descarga. Em geral, a vida dos demais mamíferos acaba sendo mais simples em termos de escolha para a descarga tensional: ou comem, ou caçam, ou copulam. O ser humano é diferente por ter sido repreendido desde o nascimento. Se tivéssemos sido criados por lobos, não seríamos quem somos: humanos. Nascemos animais pulsionais que também têm necessidade de descargas agressivas e sexuais. Porém, diferentemente de lobos, o "não" nos é dado a todo momento. Por isso, precisamos sublimar alguns desejos, elaborando-os para outras conquistas.

    Voltemos a Jung, que é tão citado em estudos de marketing e utilizado em metodologias de autoconhecimento e integração de grupos corporativos. Ele foi um dos discípulos de Freud e por ele indicado para o cargo de presidente da Associação Internacional de Psicanálise (IPA), o que quer dizer que sua visão sobre o ser humano parte da teoria do pai da psicanálise. É possível apontar que, enquanto Freud estruturou a teoria das pulsões, Jung estabeleceu a visão dos arquétipos culturais como um passo posterior à pulsão, mas ainda inconsciente na mente humana.

A pulsão, quando direcionada a um objeto externo, ou seja, ao mundo, compõe o que pode ser percebido como atividade. Essa atividade, mitologicamente, também está associada aos guerreiros, reis, sábios, àqueles que têm uma posição ativa e desbravadora de seu entorno, na teoria de Carl Jung. Para o autor, os arquétipos diferenciam-se das pulsões, pois já são uma resolução imagética inconsciente capaz de lhes dar contorno. Veja como ele tenta elucidar a tese:

> Preciso esclarecer a relação entre pulsões e arquétipos. O que chamamos de pulsão são impulsos psicológicos, os quais são percebidos pelos sentidos. Mas, no mesmo instante, esses impulsos também se manifestam em fantasias e frequentemente revelam sua presença apenas por meio de imagens simbólicas. Tais manifestações são o que eu chamo de arquétipo. (Jung, 1968, p. 58, tradução livre)

EXEMPLOS DE ARQUÉTIPOS MASCULINOS E FEMININOS

Entre os arquétipos masculinos identificados por Jung, está, primeiramente, o herói forte, como Tarzan. Na sequência, viriam o homem romântico, o homem político e o guia espiritual.

Entre as atitudes derivadas do elemento masculino, presente em todas essas imagens arquetípicas, estão a capacidade do homem de desenvolver e controlar o entorno, agregar elementos e simbolizar – aqui entra a linguagem. É atividade pura o fato de a humanidade aculturar-se e propagar-se pelas vias da cultura. É compreensível que, nessa capacidade de produzir cultura, estejam embebidos homens e mulheres. A atividade, a agressividade e a criação não são elementos exclusivos da força bruta do macho da espécie, já que, como aponta a psicanálise, a precedem. Todos temos em nós a força ativa, independentemente do gênero e da orientação sexual, que utilizamos conforme nossa posição no mundo. Mas, por conta da força física maior e de elementos biológicos hormonais, o *Homo sapiens* macho dominou primordialmente as atividades de liderança, caça e guerra na maior parte dos grupos humanos que se constituíram como sociedades. É fundamental entender a estrutura arquetípica em comunicação, sobretudo em um mundo que hoje cobra da publicidade o tratamento e o cuidado ideais para as questões dos vieses inconscientes. Estes nos atravessam e dão contorno às nossas pulsões em forma de linguagem, sendo, por isso, projetados para nosso mundo exterior, muitas vezes sem que nos demos conta de como estamos atuando. Todas as gafes da indústria publicitária, as declarações equivocadas das marcas – recheadas de boas intenções – e a dificuldade de entender por que é necessária uma equipe diversa para minimizar crises de comunicação poderiam ser evitadas com melhor compreensão e embasamento.

Em seu livro, Clotaire Rapaille conta alguns sucessos e insucessos, decodificando suas impressões numa investigação sobre o que fazia parte do universo simbólico de algumas culturas a ponto de conectar-se com os arquétipos inconscientes. Para ele, a emoção é a energia necessária para aprender qualquer coisa na vida. As emoções são as chaves para conectar as impressões ao inconsciente. Desdobram o arquétipo na plasticidade que cada cultura permite. O autor salienta que a estrutura por trás de um conteúdo é a mensagem que ativa as emoções e os sentimentos relacionados a elas. O esquema de representações inconscientes pontuado por Rapaille encadeia o biológico ao cultural e, a partir daí, ao indivíduo. Partimos sempre de uma estrutura biológica e de sua combinação neural com os elementos aos quais o ser humano é apresentado no universo simbólico de sua cultura. Esses elementos se conectam fortemente a estruturas inconscientes até os 6 anos de idade, sedimentam-se naquilo que chamamos de segunda infância (dos 6 até a adolescência) e mantêm-se estruturantes na condição de impressões ligadas aos arquétipos inconscientes dos seres humanos. E os arquétipos, por sua vez, mantêm-se conectados às pulsões, originárias em nossa estrutura orgânica. Rapaille aponta que acessar o significado de uma impressão numa cultura particular exige conhecer os códigos que geraram as impressões mais fortes no grupo que estamos investigando quando seus membros ainda eram crianças. Para o autor, isso minimiza o risco de campanhas e posicionamentos globais, que podem se tornar fracassos em diferentes culturas.

UM JAMAICANO NO CAMPO DA CULTURA E DA COMUNICAÇÃO

O sociólogo Stuart Hall (1932-2014) partiu da Jamaica para o Reino Unido a fim de fundar, na Universidade de Birmingham, a escola de Estudos Culturais, ao lado de outros pensadores da época, como Richard Hoggart e Raymond Williams. Para Hall, a produção cultural é central numa civilização, e seus vínculos simbólicos constituem-se nas regras de linguagem de uma cultura. É, portanto, na forma discursiva que se realiza a circulação das produções culturais. A teoria da recepção de Hall aponta o que vimos logo na primeira parte deste capítulo: o momento de codificação e decodificação das mensagens de produtos culturais. A codificação parte das relações de produção de um emissor, amparada por sua estrutura-técnica e pela intenção proposta em sua mensagem ou no seu produto. Ela é, em seguida, decodificada pelos receptores, como consumidores ou audiência, e referenciada por seus universos simbólicos e pelos repertórios culturais com que dialoga. O repertório é o conjunto de articulações conscientes e inconscientes embasadas na formação simbólica do público em questão. E raramente os repertórios do emissor e do receptor são simétricos.

> Os graus de simetria – ou seja, os graus de "compreensão" e "má compreensão" na troca comunicativa – dependem dos graus de simetria/assimetria (relações de equivalência) estabelecidos entre as posições das "personificações" – codificador-produtor e decodificador-receptor. (Hall, 2003, p. 391)

É muito pouco provável que essa simetria aconteça em grupos distintos. É possível que, em uma empresa, os valores estabelecidos como centrais na organização sejam reconhecidos sem muito esforço por pessoas que já vivem naquela cultura e têm origens semelhantes (escolas, famílias, bairros, ou seja, estruturas sociais semelhantes). A partir do momento em que a empresa se apresenta para fora e tem a intenção de traduzir para seu público consumidor produtos que estão amparados em seus valores e sua maneira de ver o mundo, sem conjugar com a diferença, há o risco de ter outras interpretações. O código – ou aquilo que é codificado e emitido – pode ter a intenção de ser fechado, claro e uníssono. Mas a forma como é decodificado culturalmente apresenta variações em função do repertório de quem recebe. A diversidade em comunicação evita ruídos geradores de crise e é a forma mais eficiente de tentar dar conta de como uma mensagem pode ser recebida em diferentes universos simbólicos. É por isso que nunca foi tão necessária.

CASO ILUSTRATIVO: A PERDIGÃO

No final de 2018, a Perdigão foi acusada de racismo durante sua campanha de fim de ano[6]. No filme publicitário, criado pela DM9DDB, a marca anunciava que, a cada compra de Chester (produto derivado de uma ave desenvolvida pela empresa), uma família carente seria beneficiada com o recebimento gratuito do mesmo produto. A intenção do anunciante, com o lema "generosidade gera generosidade" (o significado da campanha), foi prejudicada pela estética da sua comunicação (seus significantes). No filme publicitário, que foi ao ar na TV e nas plataformas digitais sociais e de vídeo, a família apta a consumir o Chester e beneficiar uma família carente era representada por pessoas brancas e ricas. Um avô e um neto, nitidamente brancos e de classe alta, conversavam

---

[6]. Renato Pezzotti, "Campanha de Natal da Perdigão é acusada de racismo na web; empresa lamenta", UOL, 27 nov. 2018. Disponível em: <https://economia.uol.com.br/noticias/redacao/2018/11/27/propaganda-perdigao-acusada-racismo.htm>. Acesso em: 4 set. 2019.

sobre a benfeitoria que acabariam fazendo pelo fato de terem escolhido comprar Chester Perdigão para a ceia de Natal. Na cena seguinte, uma família de classe média baixa se mostrava agradecida pela possibilidade de ter Chester na ceia de Natal após receber gratuitamente o produto. A família era representada por pessoas negras, em sua maioria. Muitos grupos étnicos negros não se sentiram representados daquela maneira e acusaram o emissor de reforçar estereótipos e estimular preconceitos. Conscientemente, a marca, entre gestores e agência, desconhecia o que havia feito, demonstrando que a decodificação da mensagem é o produto da representação do emissor com as impressões estruturadas no inconsciente social dos grupos receptores a partir de sua cultura.

O VIÉS INCONSCIENTE

O conceito de atuação, em psicanálise, está associado ao momento em que nos tornamos reféns de nossos vieses inconscientes e seguimos seus padrões em nossas atitudes, sem necessariamente ter ciência do que estamos fazendo. É muito natural, por exemplo, que animais sejam movidos por instintos de sobrevivência. Os animais não se preocupam com seus instintos. Agem sujeitos a eles, sem consciência. O ser humano, por sua vez, não apenas tem consciência de sua existência como percebe e empatiza com outros seres humanos, fazendo uma série de concessões para ter uma vida em sociedade. Essas concessões nos obrigam a negociar interna e externamente o tempo todo – por exemplo, no que diz respeito a quando ceder e quando avançar diante de um desejo, seja ele nosso ou do outro. Se as pulsões geram uma necessidade de descarga e nós traduzimos internamente esse movimento pulsional em linguagem, estamos sempre procurando onde nos inscrever para aliviar a tensão. Porém, lembremos, como coloca Jung, que, antes dessa inscrição pulsional na cultura, fizemos uma inscrição de pulsão em nós mesmos, formando um elemento arquetípico em nosso inconsciente. E, como lembra Rapaille, os arquétipos do inconsciente coletivo se identificam com as representações disponíveis em nossa cultura.

Este é o caminho do processo das nossas formações identitárias: guarde este resumo, pois ele vai ficar mais claro e mais aprofundado na sequência:

1	pulsão
2	arquétipo
3	impressão
4	identidade

CULTURA: O MENU DAS POSSIBILIDADES DE IDENTIFICAÇÃO

Historicamente, as civilizações são como são porque compartilham um universo simbólico comum, ou seja, um conjunto de elementos de linguagem que estruturam não só o inconsciente, mas também a consciência. Entre as capacidades da linguagem estão também as ferramentas que possibilitam ao ser humano se comunicar com os outros e formar redes. Praticamente toda a nossa produção cultural deriva da capacidade de tecer e continuar tecendo essa rede. Há autores, como o celebrado Yuval Noah Harari, que consideram que é o compartilhamento de uma mesma narrativa que vincula os seres humanos. Mas, se todas as culturas estão em uma narrativa, e essa narrativa é o que liga os seres humanos, por que algumas histórias, mesmo quando conhecidas por pessoas de outras culturas, não são suficientes para o compartilhamento de valores? Ou, sendo ainda mais prático, por que, mesmo aprendendo uma língua estrangeira, dificilmente partilhamos dos elementos constitucionais da cultura ligada a ela, a não ser que tenhamos sido submetidos a um universo rico em vínculos, capazes de transmitir, sobretudo de forma involuntária, os elementos daquela outra cultura? Quando, por exemplo, as pessoas fazem um intercâmbio, parece que entendem melhor aquilo que estava no outro e, antes, só estavam aprendendo pelos aparelhos sensitivos racionais de cognição. Ou, quando alguém é transferido de departamento numa empresa, parece que, aí sim, formula elementos internos capazes de compreender melhor o que antes era resumido como elementos do outro departamento que "só atrapalha". Isso acontece porque, ao imergir no outro, ficamos suscetíveis aos vínculos que vêm dele. Estes são embebidos de afeto, a energia pulsional que dá sentido ao que antes nos era indiferente. Como vimos, seja de forma positiva (com amor) ou negativa (com ódio), o afeto estrutura como nos vinculamos com as representações de uma cultura.

Está na cultura, por exemplo, aquilo que queremos e não queremos ser. São nossas projeções, sejam de admiração ou rejeição, capazes de modular nossas formas de identificação. Cada cultura, portanto, estabelece a forma como estrutura as representações que garantem ordem em seu universo simbólico. Imperador, general, gueixa, cozinheiro, pajé, curandeiro, mãe, guerreiro, rainha, primeiro-ministro, enfermeira, astronauta, iogue: os arquétipos são elementos mais universais que permeiam o que está representado numa cultura e as raízes pulsionais da carne. Podemos, à luz de Jung, dividi-los entre arquétipos masculinos e femininos. Os primeiros ligam-se à atividade e aos elementos mais visíveis da produção humana e tiveram sua representação cultural ligada a guerreiros, militares, sábios, magos, políticos e grandes amantes. São elementos arquetípicos presentes nas culturas e que variam em plasticidade conforme sua distribuição pelo mundo. Já os elementos femininos encontram seus arquétipos mais arcaicos nas figuras das bruxas, das donzelas, das sacerdotisas, feiticeiras e outras que evocam mistério ou vulnerabilidade, e sua plasticidade figurativa também varia conforme as culturas.

RECAPITULANDO A QUESTÃO DOS VIESES INCONSCIENTES

Antes de continuar, vamos resumir o ponto que nos permite compreender melhor a relação dos seres humanos com as imagens a partir de seu aparelho psíquico:

1. a raiz pulsional é da carne, gera tensão e requer descarga;
2. o homem é um mamífero de aparelho neuronal complexo;
3. sua necessidade de gerar linguagem está intrinsecamente ligada à sua capacidade e necessidade de construir cultura;
4. essa construção cultural histórica é produto e também produtora do que o ser humano entende por gente – nasceu dele e serve para dar-lhe contorno psíquico.

Alguém só pode ser médico ou publicitário a partir do momento em que a cultura gera essa necessidade e passa a valorizá-la. Essas profissões, citadas para exemplificar, só formam um campo imagético porque, um dia, foram produto de uma cultura que forma imagens. A partir de então, tais imagens passam a servir à cultura como representações com as quais outros seres humanos podem identificar-se. Vivemos, portanto, um universo simbólico que se retroalimenta de perspectivas geradas a partir de nossa imaginação simbólica e que, num momento sequencial, recolonizam nossa imaginação. Esse referencial teórico é fundamental para compreender por que as marcas têm papel ativo nas narrativas humanas e por que é essencial que estejam conscientes de suas atitudes e produções para não serem vítimas de seus próprios equívocos de atuação. Estes não só geram momentos desgastantes de gestão de crise, fazendo executivos experientes se perguntarem onde erraram, mas – o que é pior – podem fazê-los sair desse circuito sem aprender o bastante sobre o que vivenciaram como representantes das marcas no mercado.

REVISÃO APROFUNDADA DO PROCESSO DAS FORMAÇÕES IDENTITÁRIAS

1	pulsão	orgânica, visceral, inerente ao ser humano
2	arquétipo	inconsciente e culturalmente determinado de forma abrangente
3	impressão	inconsciente e pré-consciente, determinada a partir do que recebemos na primeira infância
4	identidade	inconsciente e consciente, a depender do autoconhecimento, revista constantemente a partir da produção simbólica de uma cultura

Em novembro de 2019, a pequena Maria Alice, de 2 anos, comoveu a internet ao aparecer num vídeo repostado pela jornalista e apresentadora do *Jornal Hoje* Maju Coutinho. No vídeo, Maria Alice aponta para o cabelo da apresentadora, uma das poucas mulheres negras com protagonismo na TV, e diz que é semelhante ao seu, assim como o vestido da apresentadora, que era "amarelo yellow" (sic). O conjunto identificatório da menina com a apresentadora resumia questões que, para ela, não poderiam ser discriminadas entre o que era representatividade e o que era trivial. O cabelo e o vestido de Maju Coutinho entravam como componentes com os quais a menina poderia se identificar. Para Maria Alice e outras crianças de sua geração, formavam um repertório de impressões menos estereotipado e mais abrangente. Para a geração de atuais adultos, simbolizavam os ganhos que a diversidade promove ao gerar mais possibilidades de identificação.

3.
A escalada imagética rumo à publicidade

Desde que precisou se diferenciar de outros mamíferos pela evolução cognitiva e biológica, o ser humano utilizou sua capacidade cerebral elevada e seu polegar oposto como os principais instrumentos de sobrevivência no mundo. Fruto de sua atuação, as culturas se estabeleceram e se desenvolveram de tal modo que umas passaram a dominar enquanto outras foram dominadas pelas mais poderosas. Os domínios são elementos constitucionais da natureza humana, produto de sua atividade. O entendimento de que ser maior e melhor é a mais eficiente forma de estabelecer-se no mundo viveu ciclos de otimismo durante toda a história humana e nos manteve numa escalada extremamente produtiva do ponto de vista civilizatório e econômico.

As imagens, produtos dessa atividade simbólica, estão presentes na cultura humana desde as pinturas rupestres nas cavernas. No livro *A sociedade do espetáculo* (1967), o pensador e escritor francês Guy Debord expõe a relação social mediada pelas imagens geradas pela cultura de massa. Se as transformações em nossa cultura se dão também por meio da imagem, hoje elas ocorrem de forma exponencial – desde o advento dos folhetins impressos em massa, do cinema e, sobretudo, da televisão, as imagens passaram a ser a principal maneira de hierarquizar desejos e produções.

A escalada imagética é fruto da era da reprodutibilidade técnica, inaugurada com o advento da imprensa. As narrativas, semeadas em produções científicas, foram desde então tomando caráter universalizante por terem sido bem-sucedidas até então em representar os desejos das pessoas. Na economia, os liberais ingleses; na ciência política, os revolucionários franceses; na filosofia, uma evolução na academia (que nasceu com Platão, na Grécia) alcançava seu auge com os empiristas ingleses, os existencialistas alemães e os estruturalistas franceses; na religião, o cristianismo, depois de impor-se na Idade Média e nas colônias africanas e americanas, dava as mãos à modernidade celebrada no Ocidente; e, na ciência, o positivismo anunciava-se como narrativa predominante com a avaliação de sua eficácia durante as duas grandes guerras – com destaque para a balística, a medicina e a capacidade de produção de bens de consumo em massa nos setores de alimentação, higiene e mobilidade (todos os quais se ampliaram durante tais conflitos). Esses elementos da produção humana no Ocidente são concretos, perceptíveis aos sentidos e vistos como capazes de melhorar nossa vida. A Revolução Francesa sedimentou ideias liberais que potencializaram o individualismo. A Revolução Industrial permitiu a disseminação dos desejados bens de consumo. O mercantilismo das navegações ibéricas, inglesas e holandesas evoluiu para uma economia de mercado. Tudo a duras penas, dada a necessidade do ser humano de se ajustar a modelos que eram implementados de forma cada vez mais ágil. Assim como em toda a nossa história, as culturas produziam, mas também se ajustavam à luz de sua própria produção, num formato que se retroalimentava. Somos, desde sempre, produtores, mas também produto do que implementamos no mundo pela nossa atividade.

A DEMANDA DE IMAGENS

Nas artes, a figuração e a decoração, típicas de elementos ornamentais ou ferramentas de registro de imagens, também ganharam caráter mercantil, sobretudo na península italiana, de onde se partiu para a fundação do que, hoje, entendemos como arte. A produção imagética italiana revelou mestres na capacidade técnica e, sobretudo, no olhar que se poderia ter sobre sua produção a fim de comercializá-la a determinado valor. Da Vinci (1452-1519), Michelangelo (1475-1564), Botticelli (1445-1510), Caravaggio (1571-1610), entre outros, recebiam encomendas e tinham suas telas promovidas a objetos agenciados que inauguravam um segmento até hoje bastante lucrativo. Assim, não só os bens como as imagens recebiam o olhar de uma cultura que desejava a sua reprodutibilidade. Alçados à fama, aquilo que produziam entrava na hierarquia de desejos.

No início do século XV, quando a imprensa foi criada pelo alemão Johannes Gutenberg (c. 1400-1478), tornou-se possível reproduzir em massa a produção escrita. A fotografia ainda não havia sido inventada; somente a partir de 1826, com o francês Joseph Nicéphore Niépce (1765-1833), que fez o primeiro registro fotográfico de que se tem registro na história, percebeu-se que um dia seria possível incorporar à imprensa a imagem registrada em câmera. A pintura perdia seu caráter figurativo de vez, sendo este abraçado pela fotografia, que se consolida então como arte mais à frente, no século XX. Tudo é mercado desde então. Iniciava-se o que podemos chamar de a primeira escalada técnica das imagens figurativas. É natural entendermos que a escrita seja a primeira forma de codificar nossa linguagem no intuito de torná-la mais abrangente e acessível. Porém, isso restringia aos letrados sua compreensão – já que a educação e a alfabetização em massa ainda não haviam ocorrido. Foi então que o ser humano ganhou a chance de tentar reconhecer qualquer mensagem pela imagem que dela se reproduzia. Sobre a imagem, qualquer ser humano pode elucubrar. A alfabetização imagética é o mais alto grau da reprodutibilidade técnica, usada principalmente como propaganda de determinados discursos. Uma imagem, é o que dizem, vale por mil palavras. Diante da fotografia de um rei, de uma tribo recém-descoberta, de japoneses imigrando para o Brasil, de uma guerra ou dos vestidos da *Belle Époque*[7], foi se tornando cada vez mais perceptível a força do que se apresentava imageticamente. A imagem se transformou na forma mais poderosa de colonizar simbolicamente o mundo.

Com a reprodutibilidade técnica em escala global, não demorou para que qualquer instituição ou indivíduo que quisesse se fazer entendido pela maior quantidade de pessoas possível optasse pela reprodução técnica imagética. Se a imagem técnica é a forma como governos ou religiões, por exemplo,

---

7. Início da cultura cosmopolita na Europa, que durou do final do século XIX até 1914, com a eclosão da Primeira Guerra Mundial.

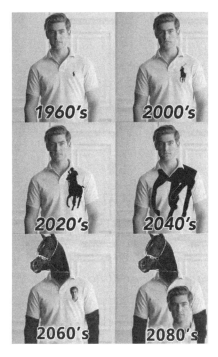

Figura 1. Meme demonstra a colonização do ser humano pelas imagens: dela somos cria e em direção a ela nos renovamos imageticamente, em um processo que se retroalimenta

expressam seus símbolos de modo mais abrangente e ágil, a produção imagética se tornou útil não só para propagar discursos (propaganda), mas, também, para despertar desejo de produtos (publicidade).

Quando, no início de século XX, os camponeses russos invadiram o palácio Hermitage, em São Petersburgo, ficaram perplexos com o luxo que ornamentava o local, das escadarias aos aposentos palacianos reais. Eles jamais haviam visto nada parecido. E, mesmo que pudessem ler ou ouvir sobre como viviam e ostentavam os czares que pretendiam derrubar do poder, seu espectro de imaginação era limitado ao referencial simbólico que tinham até então. A partir daquele momento, o luxo se expressava de mais uma forma (talvez a maior) para aqueles camponeses, introduzindo um novo patamar referencial em seu imaginário. Eles poderiam, a partir de então, identificar-se com aquilo na forma de amor ou ódio. A indiferença ficava de vez para outros tempos.

VÍDEO: IMAGEM E ESPETÁCULO EM ESCALA

Se uma imagem vale por mil palavras, que dizer de uma sequência de imagens reproduzidas a partir do advento do cinema? Desde a primeira metade do século XX, com o estabelecimento de Hollywood como meca industrial do cinema, os norte-americanos souberam que aonde chegassem seus filmes chegariam seus produtos. As narrativas audiovisuais afinavam o modelo imagético com o qual a audiência poderia se identificar e contribuíam, por exemplo para aumentar o *soft power* dos Estados Unidos entre os povos e culturas que queriam influenciar, beneficiando sua indústria – como aponta o jornalista e pesquisador Franthiesco Ballerini no livro *Poder suave* (2017). Por exemplo: a imagem de uma dona de casa pessoalmente realizada depois de adquirir uma enceradeira estampada numa revista muito provavelmente despertaria no público o desejo de adquirir certos produtos. Um homem que achasse por bem comprar o produto para a sua esposa, ou uma dona de casa que visse naquela imagem a possibilidade de realizar com mais eficiência a função que, na época, se esperava socialmente das mulheres, identificava-se com o anúncio indo um pouco além da necessidade: era a representação de um estilo de vida que se revelava tentador. Agora, imaginemos uma narrativa audiovisual no cinema e, logo mais à frente, na TV, em que a mulher que deslizava sobre uma enceradeira tinha também uma linda casa, filhos saudáveis e um marido provedor. Essa narrativa propaga muito mais aquilo do que se quer vender ou comprar: representa um estilo de vida ativado por bens e serviços.

As narrativas audiovisuais são mais eficientes em gerar identificação com a audiência porque são complexas. Se a publicidade estática (impressa ou digital) pode ativar o desejo do público pelo sentido da visão, a publicidade audiovisual (em forma de vídeo ou animação) amplia o espectro de identificação humana, mobilizando os elementos profundos da nossa psique. Em abril de 2019, no Brasil, o presidente da república pediu ao então diretor do Banco do Brasil que suspendesse um filme publicitário[8] cujo roteiro era o seguinte:

> Faz carão, biquinho de vem cá me beijar, quebrada de pescoço pro lado. Não, pro outro! Papada negativa pro alto. Cara de fico irritada. Movimento natural esquisito. Tá de parabéns abrindo essa conta. Quer abrir uma conta no BB? Baixe o APP, digite seus dados, capricha na selfie. Faz cara de quem não paga tarifa mensal nem anuidade do cartão. É rápido, é fácil, é tudo pelo celular ou onde você quiser. Entrada de marca lateral. BB, mais que digital. (WMcCann, 2019)

---

[8]. Meio&Mensagem, "A pedido de Bolsonaro, Banco do Brasil tira campanha do ar", 25 abr. 2019. Disponível em: <https://www.meioemensagem.com.br/home/comunicacao/2019/04/25/a-pedido-de-bolsonaro-banco-do-brasil-tira-campanha-do-ar.html>. Acesso em: 31 ago. 2019.

O poder simbólico da narrativa do filme foi o estopim para que o presidente, diante do que considerou uma representação de discurso contra um ideal de família, censurasse o conteúdo e provocasse a exoneração do então diretor de comunicação e marketing do banco. Se fosse um anúncio impresso, a repercussão seria a mesma? Provavelmente, não.

A EVOLUÇÃO DA PUBLICIDADE

A evolução da indústria publicitária segue a hierarquia de evolução da indústria de entretenimento. As imagens em movimento valem mais que as estáticas por serem mais atraentes aos sentidos humanos. Elas também causam mais fascínio do que as imagens em forma de palavras que geram narrativas escritas. É natural que a publicidade em vídeo seja o auge da produção publicitária. As marcas sonham em produzir os próprios filmes. E podem começar, por exemplo, timidamente em redes sociais como o Instagram, que fornecem ferramentas para uma produção de baixíssimo orçamento. Mas, à medida que evoluem, as marcas almejam uma narrativa mais envolvente e influente. Essa narrativa é a guardiã e a fonte da simbologia do emissor de uma mensagem. Nela, este imprime elementos que julga necessários para gerar identificação de forma positiva em uma audiência que ele quer que compre seus produtos. Porém, se esse é seu objetivo, não seria melhor que, em caso de bens de consumo ou serviços, se investisse unicamente na comunicação de ofertas, de modo que o consumidor sempre faça comparações baseadas no preço? Diversas marcas trabalham prioritariamente nesse espectro, caso da maior parte das empresas de telecomunicação no Brasil, por exemplo. Mas tudo que se emite é conteúdo. É e será sempre escolha da marca o que comunicar, principalmente quando é ela a autora de tal conteúdo. A marca narra de acordo com suas necessidades de negócio em curto, médio e longo prazos; sua comunicação é baseada nesse princípio. O conteúdo estará a serviço do planejamento para determinado período, compondo a narrativa da marca, seja ele estritamente comercial, seja puro entretenimento. Ou, ainda, uma mistura de ambos. Agora começamos a entender do que trata o *branded content*.

4.
O que é conteúdo?

Vim de anos de trabalho na TV. Ergui minha carreira dividindo por muito tempo, de maneira equivocada, conteúdo e intervalo publicitário. Porém, essa divisão nos ajuda a refletir sobre o que é verdadeiramente relevante para a audiência, seja do ponto de vista do conteúdo comercial (muitas vezes restrito ao intervalo da programação linear de TV), seja da ótica do conteúdo de informação ou entretenimento programado pelo emissor da programação (no caso da TV, um emissor linear; no caso das plataformas digitais, um emissor não linear).

A fim de nos iniciarmos no assunto, vale ressaltar que tudo que se emite é conteúdo. No caso da emissão linear, o conteúdo exclusivamente comercial é aquele que se apresenta no intervalo da programação, sendo fruto de uma negociação comercial entre o anunciante e o veículo. Nas plataformas digitais, o conteúdo estático ou animado mistura-se ao conteúdo oficial do veículo emissor (que também pode ser estático ou animado), tornando a intersecção mais dinâmica e viável.

O conteúdo comercial pode ser apreciado ou não pela audiência. Diferentes comerciais, marcados pela história da força da TV linear abrangente e com poucos canais, se destacam principalmente entre a audiência das décadas de 1970 a 1990 no Brasil. As mil e uma utilidades de Bombril, a aquarela da Faber-Castell, a hipnose do chocolate Batom, o duo pipoca e Guaraná Antarctica e até os cigarros Hollywood, consumidos em cenas de esportes radicais ao ar livre, são algumas narrativas que marcaram o imaginário de uma audiência estável, linear, fascinada por telas, mas preservada da exposição a múltiplos meios. É claro que a maior parte dos comerciais caiu no esquecimento, certamente por não ter mobilizado nenhum tipo de afeto por parte da audiência, que se tornou indiferente a eles. Talvez estejamos falando de campanhas competentes do ponto de vista de resultado de negócios, mas que não marcaram simbolicamente as gerações. O mesmo acontece com filmes no cinema, programas de TV ou vídeos no YouTube. *ET, o extraterrestre*, a novela *Vale tudo*, o *Cassino do Chacrinha*, o *Clube da Criança* apresentado por Xuxa Meneghel na extinta TV Manchete, o videoclipe da Stefhany, do Cross Fox, no YouTube, ou um dos primeiros virais da internet, em que uma carismática nutricionista repetia o "iche" da palavra "sanduíche" várias vezes durante uma entrevista ao vivo: todas essas produções são parte do repertório daqueles que partilham um mesmo universo simbólico. Já a grande maioria da programação oficial de diferentes meios de comunicação carece desse mesmo tipo de relevância. Mesmo que também tenham tido alto engajamento no momento de sua exibição, cumprindo seu objetivo de conexão com a audiência, não necessariamente promoveram registro suficiente para se tornar clássicos.

Então, tudo é conteúdo? Sim, é. Todo conteúdo gera empatia a ponto de mobilizar afetos positivos? Não. Conteúdo comercial também é conteúdo? Claro que sim. As narrativas comerciais podem ser mais potentes do que a simples exposição de um produto ou a comunicação de uma oferta? Sim! Pensemos sobre o conteúdo: a comunicação de um produto ou oferta comercial também pode se encaixar numa narrativa com caráter exclusivo de entretenimento. É o famoso *merchandising*. Quando isso acontece de forma que se interrompe uma narrativa para enunciar um comercial, o instituto Kantar Ibope Media classifica de "ação comercial no conteúdo". É o *merchandising* da Top Therm no programa da Sonia Abrão, na RedeTV!, por exemplo (aliás, a Sonia é uma das campeãs nacionais nesse tipo de *merchandising*, com mais de 400 ações no ano de 2016[9]). Agora, quando o *merchandising* não interrompe o conteúdo para anunciar ou expor o produto, a denominação da Kantar Ibope Media é "ação integrada", que equivale ao *product placement*, termo americano bem disseminado no mercado nacional. É, por exemplo, o copo de Coca-Cola na mesa dos jurados do programa de talentos *American Idol* ou o look do dia da influenciadora no Instagram.

Espero que, neste momento, fique mais claro para o leitor o que é conteúdo para que possamos assimilar, no próximo item, o que é *branded content*. A partir da introdução inicial, também espero que possamos compreender por que alguns conteúdos de marca geram mais ou menos identificação, independentemente de estarem integrados ou discriminados como

---

9. Ricardo Feltrin, "Sonia Abrão é campeã nacional de 'merchan' na TV; veja ranking exclusivo". Disponível em: <https://www.uol.com.br/splash/noticias/ooops/2016/11/01/sonia-abrao-e-campea-nacional-de-merchan-na-tv-veja-ranking-com-10-mais.htm>. Acesso em: 31 jan. 2019.

"conteúdo comercial". Alguns desses conteúdos de marca, muitas vezes, nem sequer mobilizam as audiências, nem que seja para rejeitá-los.

BRANDED CONTENT COMO CONTEÚDO

Branded content é o conteúdo produzido, promovido, fomentado e disseminado pela ação de uma marca. Tal conteúdo anuncia e enuncia os valores do emissor no intuito de não só mobilizar a audiência a consumir, mas, também, de vincular-se emocionalmente com a marca por meio de uma narrativa. É fundamental notar que o *branded content* não é *case* e nem precisa sê-lo. E não é apenas entretenimento: está muito mais relacionado com a consistência de posicionamento de determinada marca de modo que fique evidente em tudo aquilo que comunica – a ponto de que, muitas vezes, a marca nem precisa exibir seus produtos. É o caso, por exemplo, dos filmes comerciais da Nike ou dos eventos esportivos inusitados promovidos pela Red Bull, que muitos veículos fazem questão de exibir mesmo sem envolvimento comercial, tamanha a relevância daquilo para a audiência. Os filmes dessas duas marcas não anunciam diretamente o que vendem.

O *branded content* está em tudo que a marca faz em primeira pessoa para se conectar com seu consumidor. É a marca que escolhe a forma como vai se comunicar, dependendo obviamente dos objetivos de negócios. Se uma marca tem consistência em sua linha produtiva e de valores, de forma que a cadeia se retroalimenta daquilo que fala, esse é o cenário mais virtuoso. As marcas procuram se inserir no universo simbólico de seus consumidores para gerar valor aos seus negócios.

Mas, hoje, elas podem gerar valor para a comunidade em que se apresentam como sujeitos. O consumidor vai se engajar com anunciantes por necessidades diferentes. Necessidade, oportunidade ou paixão: cabe ao anunciante ter a clareza de seu real valor na comunidade e por onde e como se comunicar visando ao que quer despertar.

Pesquisadoras da Universidade Federal Fluminense, Fernanda Ferreira de Abreu e Daniele de Castro Alves (2017) apontam que a lógica *on demand* da cultura digital, na qual o consumidor pode escolher acessar o conteúdo em plataformas de vídeo *on demand*, pressiona ainda mais a indústria da publicidade a se inserir na demanda do consumidor. Essa lógica *on demand* é que obrigou a indústria a ampliar o espectro da publicidade tradicional para conteúdos relevantes ao consumidor. No dia a dia do mercado publicitário, *branded content* se refere a esse conteúdo gerado por marcas, que pretende ser relevante para quem o consome. É, na percepção do mercado, e colocado também pelas pesquisadoras, um conteúdo que "torna tênue a fronteira entre informação, publicidade e entretenimento com o intuito de oferecer experiências positivas e gerar vínculos emocionais entre as marcas e seus consumidores" (p. 57-58). Bjoern Asmussen e seus colaboradores (2016, p. 34) definem *branded content* da seguinte forma:

> De uma perspectiva gerencial, *branded content* é qualquer produção total ou parcialmente financiada – ou pelo menos endossada – pelo dono legal da marca que promove os valores desta e faz que a audiência escolha se envolver com ela com base em uma atração lógica provocada por entretenimento, informação ou valor educativo.

Reforço que todo conteúdo feito por uma marca, inclusive um simples anúncio publicitário, é *branded content*. Porém, no dia a dia do mercado brasileiro, o termo *branded content* se associa ao termo *branded entertainment*. Nas primeiras páginas do livro escrito sobre o assunto pelo júri de Cannes, *The art of branded entertainment* (2018), lemos que o conteúdo de marca é:

1. entretenimento produzido por marcas;
2. publicidade que não se quer deixar de assistir;
3. marketing feito para ser procurado pelo consumidor, e não criado para interromper seu entretenimento;
4. publicidade que é um bom investimento financeiro para as marcas e um bom investimento de tempo para a audiência;
5. publicidade que atrai a própria audiência em vez de ter de comprar espaços para ser vista.

Asmussen e colaboradores (2016, p. 30) conceituam de maneira semelhante tanto o *branded content* quanto o *branded entertainment*. Segundo eles,

> o *branded content* deve oferecer valor ao público, por meio:
> • da criação de experiências envolventes (conteúdo divertido, informativo, educativo, etc.);
> • da conexão com necessidades, desejos, interesses e/ou paixões do público;
> • da produção de material de alta qualidade;
> • da transmissão da ideia de transparência/autenticidade;
> • da sutileza (embora seja possível também fazer uma venda mais direta, dependendo do contexto);

- de narrativas atraentes;
- do compartilhamento de conteúdo.

A fim de simplificar o conceito, aproximaremos o *branded content* do *branded entertainment*, definindo um conteúdo:

1. produzido ou financiado por uma marca;
2. relevante para o consumidor, a ponto de ser demandado naturalmente ou não ser rejeitado quando a ele se apresentar (num intervalo comercial, no digital ou em qualquer outra mídia);
3. promotor de envolvimento com a marca pela sua narrativa, aumentando no consumidor o respeito, a paixão e a apologia à marca.

Quando a produção contempla essas três perspectivas, trata-se de conteúdo de marca.

BRANDED CONTENT E PROPÓSITO

Mas se o *branded content* é uma ferramenta de transmissão de valores, como identificá-los? Hoje, muitos executivos de marketing, mais cientes de seu papel, sensíveis às discussões globais e atentos aos eventos que debatem o dever das marcas, mantêm contato com algo que surge como diferencial de mercado: o propósito. Este deve ser acompanhado de outro fenômeno que se expressa em nosso tempo: a diversidade. Inúmeras marcas tentaram entrar de forma irrefletida na discussão sobre o empoderamento de alguns grupos humanos que, antes, eram simbolicamente invisibilizados, como muitos outros ainda o são: mulheres, consumidores das classes mais baixas, etnias não eurocêntricas, identidades sexuais diversas. A linguagem das campanhas publicitárias, porém, pouco mudou. Uma roupagem de *fast fashion* embalava diferentes etnias, por exemplo, em campanhas que massificavam um discurso pasteurizado. Bastava ser jovem, bem-vestido, bonito e descolado que estava apto a entrar no vídeo. Há avanços nisso? Sim, pois a estética do embranquecimento e da norte-americanização, ao menos, passou a incluir outros biotipos que, até os anos 2010, não eram vistos. O problema, porém, continuou o mesmo: a publicidade não trazia para a sua linguagem cosmopolita, feliz e hiperestetizada aqueles de quem poderia ir ao encontro.

Como vimos no Capítulo 2, a identificação é aspirada por parte do público, desde que a representação desse mesmo público gere algum tipo de reconhecimento. Não necessariamente todos os consumidores brasileiros querem travestir-se de jovens prontos para ir a um festival de música e assim ser percebidos. Mas houve marcas que fizeram diferente. A Skol promoveu festivais de criação colaborativa em bairros periféricos chamados Roda do Corre[10]. A Firgun montou uma plataforma de investimentos em iniciativas da periferia de baixo custo e alto impacto pessoal na vida dos cidadãos. O Itaú abriu crédito para financiamento de bicicletas. A Sky ofereceu pacotes pré-pagos e postos de atendimento nas comunidades

---

10. Bárbara Sacchitiello, "Skol se aproxima da periferia paulistana com a Roda do Corre". *Meio&Mensagem*, 6 maio 2019. Disponível em: <https://www.meioemensagem.com.br/home/marketing/2019/05/06/skol-se-aproxima-da-periferia-paulista-com-a-roda-do-corre.html>. Acesso em: 15 fev. 2021.

mais carentes. E a marca EgossS contratou presidiárias para confeccionar seus produtos de moda[11].

Em termos de linguagem, a indústria tenta se ajustar ao consumidor. E o faz a duras penas a partir do momento em que resolve abraçar uma causa. É preciso ter certeza de que esse abraço é dado com propriedade. As marcas precisam entender que dar voz àqueles que gostariam de representar pode ser mais legítimo do que falar por eles. De que adianta uma marca trazer diferentes identidades para compor sua estética publicitária se essa diversidade não se reflete na composição das equipes internas da empresa? Desse modo, usar a diversidade para vender produtos torna-se uma atitude colonizadora. Algo muito distante do que poderia ser entendido como propósito – e de valor bastante questionável.

Nem toda empresa precisa de um propósito. Nem toda marca oferece um. Algumas delas, claro, nascem de um propósito, seja ele qual for. A XP decidiu capacitar investidores, a Natura quis aumentar o contato do brasileiro com sua flora pela via cosmética, a Apple desejava criar produtos que redefinissem a relação do ser humano com as máquinas e a EgossS nasceu da oportunidade que deu às presidiárias. Nem todo propósito precisa ser elevado ou nobre. O propósito é a razão de existir da empresa, ligado à visão que ela tem do negócio e à sua missão (forma de atuar). Uma empresa de fraldas descartáveis não necessariamente precisa de um propósito, mas isso não impede que a P&G distribua gratuitamente fraldas para bebês prematuros sem precisar explorar esse fato

---

11. "Empreendedor cria marca de roupas referência dando oportunidade a presidiárias". Portal Hypeness, s/d. Disponível em: <https://www.hypeness.com.br/2016/11/empreendedor-cria-marca-de-roupas-referencia-dando-oportunidade-a-presidiarias/>. Acesso em: 15 fev. 2021.

publicitariamente[12]. Um refrigerante não precisa de uma razão para existir, o que não minimiza o fato de a Ambev ter fazendas sustentáveis de guaraná na Amazônia ou de se preocupar em proteger a água, já que isso é fundamental não só para a comunidade como para o seu negócio. Ou que o Pão de Açúcar não possa, a cada oportunidade de contato com o consumidor com suas lojas, provocar a reflexão sobre o desperdício e a necessidade de reciclar materiais.

VALOR E CONSUMIDOR

Executivos de grandes marcas, que moram, sobretudo, em grandes centros como São Paulo, com uma vida urbana rotineiramente ligada a outras metrópoles globais, consomem as mesmas informações sobre gerações, frequentam os mesmos eventos, partilham das mesmas experiências individuais: filhos que não veem mais TV, jovens que não querem mais comprar carro, uma procura crescente por alimentos de origem orgânica e um público ávido por conveniências que o restrinjam ao seu blindado lar aos fins de semana. "Mais do que bens, o jovem quer experiências", dizem. "Focar num consumidor jovem é formar uma geração de consumidores que mantêm a longevidade do negócio", pensam. "Mulheres, grupos étnicos e outras identidades antes invisibilizadas são capazes de mover o ponteiro do negócio da empresa, mas requerem uma posição sólida da marca em redes sociais num mundo avassalado por opiniões diferentes", surpreendem-se.

---

12. "Menor fralda do mundo é apresentada". Portal Prematuridade, 30 nov. 2017. Disponível em: <https://www.prematuridade.com/index.php/noticia-mod-interna/menor-fralda-do-mundo-e-apresentada-8612>. Acesso em: 15 fev. 2020.

Atualmente, há um excesso de informações superficiais sobre os consumidores – sobretudo os jovens. Antes dos *baby boomers* das décadas de 1960 e 1970, sintonizados com os movimentos de contracultura expressos na música e nas atividades recreativas com sexo e drogas, a juventude – a moratória da vida denominada adolescência, segundo Contardo Calligaris (2000) – nem sequer existia. Nas diferentes culturas, mesmo nas ocidentais, o fim da infância implicava a entrada na vida adulta. Ainda jovem, o menino reproduzia as atividades do pai, e a menina, as da mãe. Com o crescimento da complexidade da vida adulta, cheia de especializações, necessidade de conhecimento e oportunidades, o jovem foi posto pela própria cultura nessa entressafra produtiva e simbólica que separa a infância da vida adulta. E, a seu modo, ele começou a ressignificar esse lugar que lhe foi imposto.

Nos anos 1960, a juventude foi definitivamente fundada e expressa na cultura de massa com o advento da televisão. Como representação dos ideais dos próprios jovens, ávidos por se identificar com algo que não fosse uma herança do pós-guerra e da depressão econômica vivida pelos seus pais, a juventude se estabeleceu como uma forma de romper com as gerações anteriores. Se antes o processo identificatório era com os próprios pais, inaugurou-se aí um caldeirão contracultural que não compactuava com os políticos, as profissões, as guerras e o fundamentalismo religioso dos antecessores. Abriu-se, no Ocidente, espaço para movimentos de contracultura, mas pela primeira vez na história um tipo de identidade foi cooptado pelos meios de comunicação em massa e ampliado como produto midiático, constituindo novas representações míticas. O documentário *How the Beatles changed the world* [Como os Beatles mudaram o mundo] (Tom O'Dell, 2017) expõe de maneira elucidativa o que acontecia na época contando a história do quarteto de Liverpool. O fenômeno mítico que os Beatles se tornaram só foi possível porque eles surgiram na contemporaneidade.

A partir dos anos 1960, os jovens passaram a questionar os pais e descobriram que era mais divertido, atraente e aglutinador estar nessa faixa etária. No entanto, a mesma mídia que propagava imageticamente a música e as imagens de artistas jovens se aliou à indústria para vender produtos a esse público. A estética e a narrativa *forever young* [jovem para sempre] se estabeleceram como negócio, inaugurando um círculo vicioso e virtuoso na produção cultural e publicitária. Para o mercado, racionalmente, investir no jovem é investir na formação de um consumidor fiel e movido a paixões, disposto a gastar. Porém, uma análise mais profunda revela outras motivações: o jovem simboliza o que é mais atraente do ponto de vista estético e comportamental. A faixa etária dos 15 aos 29 anos se redefine a cada nova geração – o que, em tese, é relevante para esse consumidor disposto a abraçar novidades e adquirir novos hábitos.

A forma como analisamos e consumimos essas informações é eficiente do ponto de vista racional e rasa do ponto de vista informacional. A falta de profundidade também vicia a maneira como o mercado se apropria das informações, desprezando elementos psíquicos, geográficos e multiculturais como aspectos que precisariam ser mais bem compreendidos antes de retumbantes fracassos de marketing. A geração X é apolítica e sem frescura; a Y quer viajar o mundo e deseja acumular experiências, e não bens; a Z é resignada, pois nasceu num mundo em crise, e retoma valores simples, preocupando-se mais com o meio ambiente. Aplica-se essa visão horizontalmente a todos os mercados em que determinadas marcas atuam, sem que haja um embasamento nas identidades locais. O que fica claro é que a identidade é um motivador de consumo de narrativas. Estas podem ter como emissor uma marca ou um criador audiovisual como entretenimento (estúdio, canal de TV ou influenciador digital, por exemplo). Quando se pasteuriza essa identidade, é muito provável que grandes buracos identificatórios surjam pelo caminho. O tamanho dos buracos vai representar o tamanho das oportunidades de negócios perdidas. Ajustar a produção de imagens à luz do que o público de fato entende como representação de sua identidade é o trabalho dos profissionais que atuam em comunicação. Essa tarefa exige muito mais do que informações disseminadas de forma pasteurizada. É preciso muito conhecimento para descobrir se de fato todo o planeta ainda acredita que a solução para a vida é ser eternamente jovem – embora essa crença talvez persista no inconsciente coletivo – e qual é o papel que, como produtores de conteúdo e gestores de marcas, teremos ao reforçar ou ressignificar tais narrativas.

5.
A narrativa como representação do nosso tempo

As representações midiáticas refletem o espírito do tempo. Cada época tem especificações identitárias que abrangem culturas distintas. Se ser jovem surgiu como uma macronarrativa conectada à expansão imagética promovida pela televisão, há elementos particulares de diferentes culturas que reforçam alguns traços identificatórios e não mimetizam outros. É importante recapitular que entendemos a imagem pictórica como a maior fonte de representação das culturas, mais forte que a escrita por não exigir alfabetização. Com o surgimento da fotografia e da produção gráfica em massa, experimentou-se a primeira onda de massificação das representações. O cinema tornou mágica a experiência de identificação com as imagens, ampliando o desejo aspiracional da audiência com as narrativas. E a TV difundiu esse fenômeno na primeira escalada imagética, apreendida consequentemente pelas mídias digitais. Estamos falando de produção imagética, e não do papel de cada meio. Quanto maior é a capacidade de produzir imagens, maior é a probabilidade de o meio gerar identificação com as representações que promove. Não à toa, o Google comprou o YouTube em 2006, um ano após a plataforma ter sido fundada.

Nossa cultura começou oral, contada no boca a boca. Narrativas, conceitos e valores iam até onde a fala alcançasse e até onde o som se restringisse. Somente com a escrita pictográfica fomos capazes de criar algum registro de permanência. Se conseguimos interpretar as pinturas rupestres da Serra da Capivara, no Piauí, é porque, mesmo 17 mil anos depois, o registro pictórico permite que os grupos humanos atuais as identifique. Nossa escrita, nesse tempo, evoluiu de pictogramas para hieróglifos e alfabetos. Usando nosso alfabeto fonético – uma evolução dos alfabetos fenícios latinos e romanos[13] –, podemos escrever e expressar qualquer fonema.

Se, nas sociedades tribais, essencialmente orais, o alcance da cultura se dava até onde a voz chegava, nas sociedades globais as imagens tudo alcançam pelas mídias de massa. Porém, não necessariamente as representações correspondem a todo o alcance de seus produtos midiáticos. Há um aspiracional global ou abrangente, mas determinados ajustes representativos permitem, quando feitos de forma competente, identificar o público em sua diversidade, com narrativas específicas. O fato é que as macronarrativas, mais abrangentes, conectam-se ao espírito do tempo de forma horizontal, enquanto as micronarrativas ocorrem em nichos. Um exemplo: temos hoje uma discussão generalizada sobre as diferentes expressões da sexualidade humana. Já nas micronarrativas há elementos

---

13. Camilo Rocha, "O gráfico que mostra de onde vem nosso alfabeto". Nexo Jornal, 7 jun. 2018. Disponível em: <https://www.nexojornal.com.br/expresso/2018/06/07/O-gráfico-que-mostra-de-onde-vem-nosso-alfabeto>. Acesso em: 21 set. 2019.

estéticos específicos referentes a lésbicas, gays, transgêneros, bissexuais, assexuais, entre outros, que não podem ser agrupados de forma pasteurizada. O mesmo vale para o empreendedorismo, por exemplo; trata-se de uma pauta abrangente e atual (uma macronarrativa), mas cada um empreende de forma diferente, permitindo formas diversas de tratar do tema.

Levando o tema para as telecomunicações, a macronarrativa vinculada ao espírito do tempo é a conexão à informação ou às pessoas no momento e no lugar em que o consumidor deseja, enquanto as micronarrativas são o que diferentes nichos de mercado entendem por conexão: mais dados para assistir a vídeos, poder ligar para um parente refugiado em qualquer lugar do mundo ou aplicativos de mensagens com dados ilimitados. A macronarrativa reflete o espírito do tempo e diz quanto se fala ou se almeja falar de um tema presente na cultura. Esse tema pode ser uma expressão dominante ou emergente. Já as micronarrativas ligam-se à forma de traduzir os temas macro para gerar identificações possíveis com públicos específicos. A narração também pode ser definida como "procedimento representativo dominado pelo relato de eventos que configuram o desenvolvimento de uma ação temporal (cronológica) que estimula a imaginação (a diegese da história) (Motta, 2004). Nada mais pertinente para o *branded content*.

O PROPÓSITO NAS NARRATIVAS

O propósito só entra em macro ou micronarrativas caso a marca de fato tenha algum. Como vimos no Capítulo 4, apropriar-se de temas percebidos como "da moda" ou "tendência" já estabelece um viés colonizador na forma de lidar com as transformações que ocorrem em nosso tempo, com alto potencial de deflagrar uma crise. Questões de gênero, representatividade, foco na origem do produto ou qualquer discussão pertinente socialmente logo se tornam vazios ao ser adotados pela publicidade como se fossem um animal de estimação. Um propósito é algo que permeia a missão da empresa. Só é possível comunicá-lo caso a marca adote essa forma de enxergar o mundo e passe a atuar a partir dela. Não ter um propósito não quer dizer que uma marca não possa estar conectada ou preocupada com o que ocorre em seu tempo. A marca e as empresas podem – e devem – ter valores, de preferência expressos na sua forma de se posicionar, atuar e comunicar, tanto para o consumidor quanto para seus colaboradores. A memória do consumidor deve ser o objetivo de uma marca. É ela que dará sustentação aos desdobramentos de negócio necessários.

Em 2014, a fabricante de sorvetes Diletto e a Sucos do Bem foram assunto na mídia especializada e no Conar quando as histórias que contavam como pedras fundamentais de suas marcas foram denunciadas como mentirosas. A Diletto mantinha em seu *site* a história do Nonno Vittorio, que, após a Segunda Guerra Mundial, migrou para o Brasil e passou a produzir sorvetes com receita artesanal e ingredientes diferenciados com base nos sorvetes de neve que produzia em sua terra natal. A Do Bem listava em sua embalagem que as frutas que compunham seu suco eram provenientes da "fazenda do sr. Francisco, no interior de São Paulo", embora a empresa tenha diversos fornecedores[14]. O Conar arquivou a denúncia de propaganda

---

14. "Histórias contadas pelas marcas Diletto e Do Bem vão parar no Conar". Portal G1, 25 nov. 2014. Disponível em: <http://g1.globo.com/economia/midia-e-marketing/noticia/2014/11/historias-contadas-pelas-marcas-diletto-e-do-bem-vao-parar-no-conar.html>. Acesso em: 24 jan. 2020.

enganosa contra a Sucos do Bem, mas recomendou mudança na propaganda. No caso da Diletto, o órgão reprovou a fantasia. Em ambos os casos, o consumidor mais atento não gostou da ideia de fantasiar histórias e propósitos num momento em que o mundo quer transparência das marcas.

A RELAÇÃO ENTRE O ESPÍRITO DO TEMPO E O CONTEÚDO DE MARCA

Os valores hierarquizam na mente do consumidor em que patamar a marca está, discriminando-a de seus concorrentes. Em sua aplicação tática num composto de comunicação, o *branded content* auxilia na conexão entre o conhecimento que o público tem de sua marca e a relação do seu consumidor com ela. Ele interfere diretamente no engajamento, auxilia no que será dito a respeito de um produto e, ainda, como ele será percebido de forma diferenciada. O *branded content* não necessariamente impacta as vendas. Sozinho, numa comunicação atrelada que reforce o que a marca quer dizer, pouco muda as conversões em negócios. Mesmo que o anunciante monte um canal no YouTube com entretenimento periódico e estruturado, ele vai precisar alcançar seu consumidor. E, na ponta final da tática de um funil de marketing – aquela que pretende consolidar a intenção de compra em vendas –, o anunciante precisa estar preparado com relação a preço, adequação e distribuição.

UM EXEMPLO NO SEGMENTO DE VAREJO

O *site* de *e-commerce* argentino Mercado Livre tornou-se um dos maiores varejistas do Brasil ao conectar vendedores e consumidores. A empresa poderia manter sua atuação focada em consolidar sua fatia de mercado ou ampliá-la. Mas, em 2019, o Mercado Livre foi além do foco de seu negócio no dia a dia e evidenciou a curadoria que faz dos seus produtos conectada a temas pertinentes ao espírito do tempo. Dois recortes de curadoria de produto foram comunicados pela marca. O primeiro fazia referência a produtos sustentáveis, com canudos de inox, lâmpadas de LED, painéis solares e escovas de dente de bambu. Outro, à moda sem gênero, com roupas, calçados e acessórios pertinentes para qualquer identidade de gênero. A iniciativa do Mercado Livre demonstra que a marca quer ser percebida como atualizada com o tempo em que atua[15], mas seu composto de comunicação traz outras iniciativas que, em conjunto, permitem ao consumidor ficar em contato com o anunciante. No próximo capítulo, veremos como se pensa esse composto de comunicação à luz de um funil de marketing e qual é o papel do *branded content* nisso.

---

15. Denise Godoy, "Com moda sem gênero, Mercado Livre se aproxima mais de público descolado". *Exame*, 18 set. 2019. Disponível em: <https://exame.com/negocios/com-moda-sem-genero-mercado-livre-se-aproxima-mais-de-publico-descolado/>. Acesso em: 25 set. 2019.

6.
O papel do *branded content* na jornada da marca

O Brasil cresceu na mesma velocidade com que a TV aberta se tornou a mídia de massa onipresente nos lares do país. Transversal às classes alta, média e baixa, num país apaixonado por música, futebol e narrativas folhetinescas desde o tempo da revista e do rádio, a TV se beneficiou da urbanização ocorrida no país. Entre as décadas de 1960 e 1980, a economia viveu uma de suas fases de otimismo. De acordo com os dados do IBGE, passamos de 25 milhões de brasileiros morando em cidades em 1960 para 105 milhões em 1980. A TV, que consolidava um imaginário simbólico nacional, endossando os mitos que já vinham sido construídos pelo rádio, passou a pautar os campeonatos de futebol, com a audiência compartilhada e o sentimento de time, os festivais de música, com canções reproduzidas em todo o território, e o folhetim, transformado em telenovela.

Como quase todos os países latino-americanos, o Brasil apresenta ciclos de desenvolvimento econômico e cultural que, diferentemente da presença da TV nos lares, não são transversais entre as camadas sociais da população. Muitos brasileiros só atravessaram a linha da miséria para a pobreza após a virada do século XX para o XXI[16]. Na virada do milênio, o Brasil experimentou ao menos dez anos seguidos de crescimento econômico até 2014, quando a desaceleração abateu a economia em função da queda do nível de emprego e, em consequência, do consumo. Nos anos de crescimento econômico, as classes sociais que puderam consumir trocaram seu aparelho de TV e incluíram em sua lista de bens essenciais o *smartphone*. Em 2016, a Pesquisa Nacional por Amostra de Domicílios (Pnad), divulgada pelo IBGE, demonstrou que apenas 2,8% dos lares brasileiros não tinham TV. Nos mais de 67 milhões de domicílios do país, havia quase 103 milhões de TVs, a maior parte de tela plana[17]. Também de acordo com a Pnad, em 2016, 92,3% dos brasileiros já utilizavam *smartphones* para acessar a internet[18], o que comprova nossa afinidade com aparelhos conectados em rede.

O antropólogo argentino Néstor Canclini (2001) aponta que somos cidadãos-consumidores, pois a sociedade hierarquiza pelo consumo o que considera importante. Observá-lo é compreender os valores de grupos sociais. É o consumo, não o consumismo, que adiciona camadas de identidade ao sujeito e,

---

16. "Após 10 anos de queda, número de miseráveis volta a subir no Brasil". Portal G1, 5 nov. 2014. Disponível em: <http://g1.globo.com/economia/noticia/2014/11/apos--10-anos-de-queda-numero-de-miseraveis-volta-subir-no-brasil.html>. Acesso em: 20 set. 2019.
17. Alana Gandra, "Pesquisa diz que, de 69 milhões de casas, só 2,8% não têm TV no Brasil". Agência Brasil, 21 fev. 2018. Disponível em: <http://agenciabrasil.ebc.com.br/economia/noticia/2018-02/uso-de-celular-e-acesso-internet-sao-tendencias--crescentes-no-brasil>. Acesso em: 20 set. 2019.
18. Letícia Cotta, "Pnad: 92,3% dos brasileiros usam smartphones para acessar a internet". *Correio Braziliense*, 14 nov. 2017. Disponível em: <https://www.correiobraziliense.com.br/app/noticia/economia/2017/11/24/internas_economia,643102/pnad--92-3-dos-brasileiros-usam-smartphones-para-acessar-a-internet.shtml>. Acesso em: 20 set. 2019.

por ele, fala. O desejo de realização pessoal, que pode ser exercido pelo consumo, é transversal entre as classes. No Brasil, seguimos desejantes, não importa o extrato social, de ter acesso ao conteúdo que conversa com todo o país. O futebol, a música, a novela – sobretudo a das 21h transmitida pela Globo – continuam pautando o universo simbólico nacional. Paralelamente a isso, hoje, a presença também transversal de aparelhos conectados como os *smartphones* permite a formação de nichos de consumo mapeados de forma eficaz pelos cálculos algorítmicos na internet. Tais nichos formam multidões que partilham de valores que as unem num nível macro, mas conjugam em universos particulares valores igualmente singulares. A compreensão do tamanho de mercado de que uma marca precisa ou tem potencial de atingir passa pela compreensão dos valores desses universos e de determinadas multidões.

É possível que a maior parte dos brasileiros, por exemplo, goste de consumir novelas. Esse consumo se dá na TV aberta ou em plataformas de vídeo *on demand*[19]. Mas as possibilidades de consumo em tais plataformas já são diferentes, pois estas agregam não só *blockbusters* no catálogo, mas também ofertas para consumo fragmentado em nichos mapeados pelo algoritmo das empresas que atuam no setor. O consumo nas plataformas de vídeo *on demand* é entendido como não linear. Algumas narrativas de empresas como Netflix, Globoplay, Hulu e Amazon Prime Video destinam-se a grandes públicos; outras conversam com grupos específicos. Quando olhamos para o YouTube ou para o consumo do conteúdo em

---

[19]. "O consumo de Svod no Brasil em 17 insights". *Meio&Mensagem*, 23 jul. 2019. Disponível em: <https://www.meioemensagem.com.br/home/midia/2019/07/23/o-consumo-de-svod-no-brasil-em-17-insights.html>. Acesso em: 20 set. 2019.

redes sociais, há um passo à frente na fragmentação que pode abrir-se a nichos infinitos. As multidões a ser identificadas requerem uma análise ainda mais específica do público potencial que se pode atingir no YouTube. No mundo, em 2019, havia mais de 200 milhões de canais ativos na plataforma, ou seja, aqueles em que há pelo menos um vídeo publicado pelo usuário. No Brasil, mais de 800 canais em 2018 já tinham pelo menos 1 milhão de inscritos[20]. Portanto, desde que o mercado se estruturou profissionalmente, o primeiro passo para qualquer tática de mídia foi entender com quem o produto fala e escolher o meio de chegar a esse consumidor.

O FUNIL DE MARKETING

Para que haja uma comunicação eficiente, a escolha do meio requer uma adequação da mensagem e do orçamento. É possível identificar que, entre o consumidor e o produto, existem diferentes meios com propostas de valor também diferentes. O mercado publicitário costuma falar do funil de marketing (ou funil de mídia), forma de hierarquizar melhor os papéis de cada meio na condução e na tradução das mensagens. Há diferentes funis de marketing, alguns deles separando a etapa de interesse da etapa de consideração. Outros, como o proposto por Philip Kotler no livro *Marketing 4.0* (2017), adicionam uma etapa além da conversão, que é a apologia à marca. Mas, para o recorte que proponho a fim de localizar o *branded content* nas etapas, analisemos o modelo a seguir:

---

[20]. Priscila Ganiko, "Mais de 800 canais de YouTube brasileiros têm mais de 1 milhão de inscritos". Jovem Nerd, 28 set. 2018. Disponível em: <https://jovemnerd.com.br/nerdbunker/youtube-pesquisa-de-consumo-2018/>. Acesso em: 15 dez. 2019.

Figura 2. Funil de marketing dividido em três etapas

A título de curiosidade, o funil de marketing original data de 1898, mas foi publicado pela primeira vez em 1925. Sua criação é atribuída ao advogado americano Elias St. Elmo Lewis (1872-1948). Em sua visão, o funil começava com a captação da atenção, gerava interesse, promovia o apreço e, na ponta, a ação (no caso, a venda).

Se queremos atrair consumidores, o primeiro elemento a considerar antes do conteúdo é o tamanho do público que queremos impactar. No Brasil, a TV aberta está consolidada como o veículo de maior alcance. A própria Globo, líder em alcance no país, apregoa que desde 2018 fala com mais de 100 milhões de indivíduos por dia. Num meio de massa como a TV aberta, uma narrativa precisa de relevância adequada à população. É necessário que essa narrativa seja compreensível transversalmente entre diferentes classes sociais e perfis de cidadãos. É possível também alcançar milhões de consumidores nas mídias digitais, nas quais os desafios para evitar a dispersão ou o *skip* dos *pre-rolls* nos vídeos do YouTube são ainda maiores. No extremo oposto do funil de marketing, está o lide (ou *call to action*, "apelo à ação" em tradução livre), que convida o consumidor a comprar ou de alguma forma conectar-se diretamente com o que o anunciante propõe. Os meios que mais convertem nessa primeira etapa do funil são aqueles que respondem diretamente a uma intenção de compra do consumidor. Propor o *link* de uma oferta no momento em que o consumidor se preocupa em comprar passagem aérea ou uma cafeteira elétrica aumenta as chances de ele clicar e adquirir o produto. Os meios digitais, principalmente o Google e o Facebook, conseguem traduzir em tempo real a intenção ou o desejo do consumidor por serem plataformas que o conectam à ação e comprovam os ganhos ao anunciante.

No centro do funil de marketing, há meios que buscam o que se chama de engajamento com as marcas. É o apreço que têm tais marcas e a forma de agir diante de suas propostas e comunicações. Nesse meio, as mensagens se alastram em territórios diferentes dos da mídia de massa, que horizontaliza as identidades. São também distintos dos da ponta do funil, em que o consumidor é identificado em seu comportamento particular. Os territórios traduzem melhor os valores e os conceitos com que o consumidor pode se identificar. Todos os meios segmentados ocupam ou já ocuparam essa metade do funil, estruturando narrativas e posições editoriais no intuito de representar determinados nichos ou promover uma melhor identificação com os públicos. As marcas que precisam desse endosso procuram esses veículos para que suas mensagens se dispersem menos. No meio do funil, que foi muito trabalhado no meio impresso por editorias de saúde, política, finanças, moda, cozinha ou animais de estimação, são inúmeros os títulos e canais de TV por assinatura e canais em vídeos em redes sociais, como o YouTube, dedicados a segmentos. São temas que, tradicionalmente, nasceram para conversar melhor com multidões com interesses específicos.

Ainda no meio desse funil de marketing, hoje, há o crescimento de outros canais que engajam nichos em torno dos territórios que abordam por irem além da segmentação tradicional da indústria. Os formadores de opinião que nasceram na economia da informação, e foram primeiramente batizados de influenciadores digitais, se potencializaram por engajar o público em função dos temas que abordam, competindo diretamente com outros meios que se propõem a atuar nessa mesma etapa do funil. Há exemplos de influenciadores no YouTube que abordam gêneros de conteúdo tradicionalmente conhecidos por meios impressos ou eletrônicos anteriores à sua existência, como moda, beleza, culinária, corrida etc., e outros que vão além por encontrar nas plataformas de vídeos digitais a possibilidade de angariar interações em recortes ainda mais específicos. Exemplos:

AVÓS DA RAZÃO	Canal em que mulheres com mais de 75 anos discorrem sobre temas da atualidade	youtube.com/avosdarazao
CIÊNCIA TODO DIA	Canal em que o jovem Pedro Loos se propõe a explicar o porquê de qualquer coisa de maneira científica	youtube.com/cienciatododia
TÔ DE FOLGA	Canal para aqueles que adoram acampar	youtube.com/channel/UCrWwfXSZaf_KkzaullbUQ5w
ISFLOCOS	Vídeos em Libras sobre estilo de vida focados na comunidade de surdos e mudos	youtube.com/user/gabrieleandreia

▶

| SIGNOS NORDESTINOS | Um canal voltado para promover, com humor, a cultura do Nordeste brasileiro | signosnordestinos.com.br |

É nessa etapa do meio do funil que o conteúdo de marca é mais eficaz num composto de comunicação. As narrativas que se propõem declaradamente a envolver audiências, em geral, procuram meios mais aptos a propor conversas e ressaltar valores em torno dos temas. É natural que a TV por assinatura e os influenciadores digitais tenham sido tão procurados para construir narrativas dedicadas a públicos específicos. São veículos que estão numa etapa que, de acordo com o funil de marketing, podem aumentar o afeto positivo na relação com o anunciante, ou seja, a consideração e o interesse.

LOCALIZANDO MELHOR A CONTRIBUIÇÃO DOS MEIOS

O papel dos meios no atual cenário brasileiro pode ser sintetizado desta maneira:

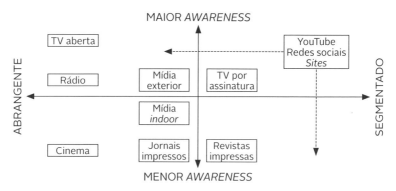

Figura 3. O papel dos meios na publicidade[21]

21. Gráfico inspirado em Sheikh *et al.* (2017).

A TV aberta continua atingindo uma grande audiência, contribuindo para o potencial de *awareness* (consciência do produto). Pelo próprio perfil do meio, com exceção de programas específicos, a capacidade de segmentação é baixa. O rádio, a mídia impressa, o cinema e a mídia externa (como *outdoor* ou mídia aeroportuária, por exemplo) têm alcance e segmentação também limitados em função de sua forma de atuação. No caso da TV por assinatura, seu alcance é limitado em função de sua base. Já as mídias digitais, sobretudo as plataformas sociais e de vídeo, crescem em alcance e são eficientes em segmentações jamais atingidas pelos meios anteriores.

Retomando o funil de marketing – e cruzando-o com a posição dos meios em nosso mercado em função das necessidades de comunicação dos anunciantes e da relação com o público –, apresento a seguir uma tabela com a necessidade de campanha cruzada com o meio e o formato adequado.

OBJETIVO	MEIO	FORMATO
Awareness (consciência)	TV aberta, TV por assinatura, mídia externa, redes sociais, *sites* informativos ou de vídeo	Comerciais de TV, anúncios em *outdoors*, *display ads*, *video ads*[22], *bumper ads*[23]
Interesse/ consideração	Revistas, jornais, cinema, mídia externa, TV por assinatura, redes sociais, *sites* informativos ou plataformas de vídeo	Anúncios impressos, comerciais de TV, parcerias com influenciadores digitais, *display ads*, *branded content*

22. Anúncios em vídeo veiculados em plataformas eletrônicas de vídeo, como YouTube e Globoplay.
23. Anúncios de vídeo extremamente curtos (em geral, com até seis segundos) para ser veiculados sobretudo antes da exibição de conteúdo no YouTube ou em demais plataformas de vídeo.

| Conversão ou lide | Redes sociais, *sites* informativos ou plataformas de vídeo | Influenciadores digitais, *display ads*, *video ads*, *links* patrocinados |

A decisão sobre o volume de investimento de cada etapa depende do objetivo de negócio, assim como a de onde começar com sua mensagem.

UM EXEMPLO DE ATRIBUIÇÃO NA CATEGORIA DE TINTAS

Em 2016, tive a oportunidade de trabalhar com a AkzoNobel Brasil para a sua marca de tintas, a Coral. O objetivo de negócio do anunciante era claro. A Coral precisava se consolidar na categoria perante o concorrente direto, que estava bem sedimentado em lembrança de marca entre o consumidor e aqueles que influenciam a escolha e a compra da tinta: o pintor e o decorador. A marca entendia que, para falar com o pintor, precisaria ser mais arrojada nos investimentos. É possível que devesse estar em canais massivos de comunicação, como a TV aberta, e até mesmo em pontos de venda. Porém, olhando para a ponta do funil, de que adiantaria investir apenas no momento de compra do consumidor se este não tinha uma relação construída com a marca? A Coral decidiu, então, aumentar a consideração por ela diretamente no universo de decoração, que conversava não só com profissionais da área, mas também com aqueles que estavam pensando em transformar a própria casa. Optou, nesse momento, pela TV por assinatura, especificamente os programas *Decora* e *Mais Cor, Por Favor*, no canal GNT. Além disso, tornou-se patrocinadora do Casacor, maior evento de decoração do Brasil. Com foco na mensagem de que a cor tem capacidade de mudar ambientes, e propondo que o consumidor ousasse decorar, brincar e colorir sua casa, a Coral embarcou nessas narrativas audiovisuais já construídas para endossar naturalmente seu produto. Hoje, a marca está mais consolidada no território de casa e decoração e tem ampliado sua atuação na mídia. A marca almeja alcançar mais gente e ter a preferência da compra no momento que o consumidor resolver adquirir o produto. Portanto, seu investimento partiu do meio do funil para as duas pontas: alcance maior na TV por assinatura e na TV aberta, incluindo comerciais nos intervalos de programação, além de *search engine optimization* (SEO, otimização do motor de busca) para *links* patrocinados no momento da busca do produto – experimente digitar "tinta para pintar casa" no Google e você verá o que aparece. Podemos resumir a análise da tática de mídia da Coral da seguinte forma:

Figura 4. Análise da tática de mídia das tintas Coral

OUTRO EXEMPLO: AGORA, NO SEGMENTO DE BEBIDAS

Já a Ambev, por exemplo, construiu seu portfólio com o auxílio da TV aberta e a associação direta a eventos de massa, com foco em esportes (futebol, mais especificamente) e música popular (sertaneja e carnaval, por exemplo). Partiu de um discurso a que as massas aderem; porém, em um mercado em que o preço impacta a decisão do consumidor na gôndola entre as marcas mais populares, a empresa se viu inclinada a investir mais em narrativas não interruptivas para cada um de seus produtos a fim de aumentar a consideração. Como marca-mãe, a Ambev produziu e exibiu em 2019 o documentário *Em busca da cerveja perfeita*. O longa, dirigido pelo cineasta Heitor Dhalia (conhecido por filmes como *À deriva*, *O cheiro do ralo* e *Serra Pelada*), foi exibido no circuito nacional de cinemas, na TV por assinatura e em plataformas de vídeo como a Globoplay. É importante ressaltar o intuito da marca por trás dessa ação e notar as plataformas escolhidas para exibi-lo: o conjunto da mensagem e dos meios evidencia a vontade da Ambev de ampliar a conversa, a apologia a suas marcas e o engajamento com parte dos consumidores.

UM EXEMPLO DO VAREJO

Da ponta extrema do funil, com passos largos para o *mainstream*, destaco o *site* de compras Enjoei, com quem também tive a oportunidade de trabalhar. A marca nasceu da identificação do desejo de se desfazer de produtos atraentes pelos quais os proprietários não se interessavam mais. Estava posta a oportunidade de negócio que deu origem à marca: vender produtos de qualidade dos quais o vendedor simplesmente enjoou. Hoje, o Enjoei consolida fortemente suas narrativas de valor com influenciadores, sejam aqueles nascidos no YouTube ou no Instagram, sejam aqueles do universo televisivo. Todos têm uma lojinha no Enjoei para vender aquilo que não usam mais, mas, como diz a marca, pode ser um tesouro para outro consumidor. Em 2019, o Enjoei iniciou seu processo de comunicação para um público maior na TV aberta. Porém, manteve seus investimentos nos canais digitais para garantir presença a todo momento na intenção de compra, ampliou seu propósito fortalecendo a narrativa de "enjoo de um, tesouro de outro" na comunicação na TV por assinatura e na TV aberta e aumentou seu escopo de atração. Tudo com o intuito de ampliar seu público e sempre mensurando o impacto da experiência do usuário em seu negócio. O Enjoei já é uma das marcas que mais movimentam os Correios do Brasil.

O FUNIL PÓS-COMPRA

Em *Marketing 4.0* (2017), Philip Kotler adiciona mais uma camada à ponta do funil de marketing: a apologia. Segundo o autor, essa camada é fundamental para que os consumidores defendam a marca. Como se trata de um movimento pós--compra, quanto melhor for a experiência em todos os níveis anteriores – e, sobretudo, com o produto –, maior é a chance de o consumidor defender a marca e falar dela, sobretudo em plataformas sociais. Como a apologia hoje passa por redes sociais como o Facebook, ou até mesmo por *sites* como o Reclame Aqui, quanto melhor o sentimento das pessoas em relação às marcas, menos investimento publicitário será necessário para mudar ou construir determinada percepção.

> Confusos com mensagens publicitárias boas demais para ser verdadeiras, os clientes costumam ignorá-las, preferindo se voltar para fontes mais confiáveis de informação: seu círculo social de amigos e a família. (Kotler, Kartajaya e Setiawan, 2017)

O inglês Robert Pratten, CEO da Transmedia Storyteller, ampliou os níveis de engajamento pós-compra ou pós-ação para cinco: atenção, avaliação, apreço, defesa e contribuição. Todos fazem referência à relação estabelecida entre o consumidor e a marca. É uma relação passional, que passa pelas projeções identificatórias do que a marca representa para eles. Lembremos, como vimos no Capítulo 2, que o afeto regula essa conexão. E, se o afeto é positivo, o engajamento permeia os pontos apontados por Pratten. O consumidor dá atenção à marca de forma ativa e não mais passiva, como no início do funil de marketing. Avalia a relação com a marca e seus produtos, sobretudo em *sites* de *e-commerce* ou de serviços na internet, muitos deles mantendo uma estratégia de gamificação para incentivar as avaliações (quanto mais o consumidor avalia, mais entendido ele se torna no assunto e sua recomendação passa a valer mais). A afeição e a defesa da marca combinam afeição e juízo de valor do consumidor diante da marca ou do produto. E a contribuição é um passo ativo do consumidor em relação à marca, a partir do qual ela modifica, descontinua ou mantém produtos ouvindo de fato aqueles com quem tem uma relação ativa e produtiva.

MENSURAÇÃO

Uma estratégia de marketing para determinado produto implica atribuir a cada fase de uma campanha o destino de investimentos nas diferentes etapas do funil. A atribuição dos investimentos por etapa e, em cada uma delas, os investimentos por meio não têm uma cartilha exata. Vão depender de um ajuste nas peças de um avião em pleno voo, ou seja, na calibragem da distribuição de verbas no momento subsequente ao lançamento de uma campanha, que é o seu acompanhamento.

Vamos supor, por exemplo, que lançaremos um buscador de pacotes de viagens que entende como diferencial diante dos concorrentes o fato de unir passagens aéreas, a hospedagem em hotéis ou casas particulares e experiências em roteiros predefinidos. É importante, primeiramente, que o consumidor saiba que esse serviço existe. Para isso, é necessário garantir investimentos na primeira etapa do funil, que promove *awareness* (a consciência do produto). Diferentes meios podem auxiliar nessa etapa, a depender da verba de mídia e produção do anunciante. A TV aberta ou a TV por assinatura, por exemplo, alcançam muita gente e consolidam a *awareness* de acordo com a frequência, ou seja, a quantidade de vezes que a mensagem comercial aparece para determinado público. Quem não ficou ciente do serviço de reserva de hotéis Trivago em sua extensa campanha na TV por assinatura entre 2015 e 2019? A frequência da mensagem e a cobertura proporcionada pelo fato de estar em muitos canais consolidaram a presença da marca.

Mas voltemos ao serviço que queremos lançar e estamos utilizando como exemplo. Como escolher o meio para essa etapa de lançamento? Há diferentes formas de projeção da quantidade de pessoas que serão impactadas pela sua mensagem de acordo com o meio escolhido. Se estamos falando de TV, a base pode ser o histórico da audiência de determinado canal ou faixa horária de programação. Há ferramentas como o Planview, da Kantar, em que se pode simular uma campanha em diferentes canais para entender o alcance e o impacto totais que determinado período promove no público. O impresso trabalha de forma semelhante. É possível simular o alcance e os impactos de sua campanha, também com base no histórico de circulação de jornais e revistas auditadas. Já as plataformas de gestão de campanhas digitais permitem que você controle em tempo real sua campanha de acordo com os resultados que vai obtendo.

Lembremos que ainda estamos falando da etapa de *awareness* em relação ao nosso produto. Então, se a escolha é se concentrar no digital, é preciso espalhar a campanha em *display ads* (como *banners* e botões, por exemplo), *video ads*, *bumper ads*, *links* patrocinados e outros formatos pertinentes a redes sociais, plataformas de vídeo, buscadores e portais a fim de também se fazer notada. E não nos enganemos ao acreditar que um serviço ou produto que pretende atuar em escala nacional ou em uma grande praça gastará pouco caso queira investir apenas na internet. A competição por atenção no ambiente digital é maior pelo poder que outras marcas têm de disputar o mesmo espaço em leilões publicitários, que ranqueiam os anunciantes de acordo com o valor que pagam para ser encontrados ou mais bem posicionados no momento da busca do consumidor em ambientes, redes, aplicativos e plataformas digitais. A atenção de quem usufrui de um meio em postura ativa e crítica é ainda mais resistente à publicidade: por exemplo, as negociações com anunciantes no YouTube só consideram que a mensagem de determinada campanha foi vista caso o consumidor não tenha apertado o botão de "pular publicidade" antes do vídeo. O próprio YouTube aconselha as marcas a pensarem em formatos de até seis segundos para a plataforma, desafiando os anunciantes a criar e veicular peças adequadas aos diferentes ambientes digitais, aumentando a complexidade do negócio. Tudo isso deverá ser avaliado na escolha dos locais para o lançamento do produto.

Medir o sucesso dessa etapa depende do que é possível mensurar em cada meio. Se estamos falando de TV, audiência total ou no público-alvo e cobertura são indicadores de *performance* auditados pela Kantar Ibope, porém não gratuitamente. A assinatura do *software* e dos pacotes de complexidade se dá de acordo com os objetivos de seu negócio e, em geral, está nas mãos de agências ou do próprio veículo de TV. Já as métricas do digital são fornecidas na maioria das vezes gratuitamente pelos *adservers* (servidores de administração de campanhas publicitárias), permitindo que se acompanhe a taxa de visualizações e de cliques no anúncio, as impressões (quantidade de vezes em que o anúncio é veiculado), em que momento de uma busca ou por que tipo de público – no caso de *sites* com usuários logados, como em redes sociais. Todas essas métricas, sozinhas, pouco gerarão informação se você não tiver definido seu objetivo de campanha ou não puder avaliar toda a jornada de compra do consumidor, aquela que passa por todas as etapas do funil e pode ter o *branded content* como uma de suas ferramentas.

O LIDE

Antes de falarmos do meio do funil, onde o *branded content* atua como ferramenta para ampliar o interesse e a consideração por determinada marca, é preciso descer um pouco mais para entendermos por que essa etapa final é imprescindível na maioria das campanhas. O lide é a ponta do funil de marketing, o momento prévio à conversão do público-alvo em consumidor. Se o público notou seu produto e cresceu entre ele o interesse pela compra, ele irá até a sua loja (física ou digital) e, se o preço estiver adequado segundo a percepção dele, a tendência é que a compra se concretize. Essa etapa do funil é mais fácil de ser mensurada, mas também a mais difícil de ser atingida. É possível atribuir indicadores de sucesso como custo por aquisição, que implica basicamente dividir o total investido em campanha pelo total de vendas. Também se pode trabalhar com a de taxa de conversão, que parte de uma fórmula simples:

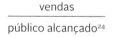

Vão ficando mais claros a complexidade de acompanhamento de uma campanha e o desafio de definir um modelo de atribuição de investimento em cada etapa de um funil de marketing e a cada meio escolhido. Uma análise ideal, sem um modelo precedente ou recomendado previamente, deve partir do número de conversões ao longo da campanha e dos ajustes

---

24. Pode ser o público total impactado pela sua campanha ou o público total que visita seu *site* ou loja antes de efetuar uma compra.

possíveis de ser feitos. Partindo desse número, é possível calibrar a distribuição entre meios de forma que o retorno esteja no ponto ideal quando analisado diante do mix.

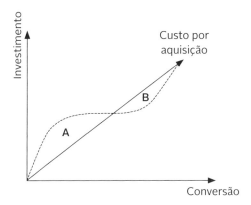

Figura 5. A busca do custo por aquisição ideal

A – Indica a necessidade de ajuste dos investimentos nos meios a fim de melhorar a conversão
B – Indica que o investimento para a potencial aquisição de consumidores (ou uma venda) está consolidado ou saturado, podendo evidenciar, inclusive, que o produto esteja na etapa de apologia, momento em que outros consumidores advogam pela marca, sobretudo em redes sociais

O CONTEÚDO DE MARCA E O MEIO DO FUNIL

Em 2018, a agência Dentsu Aegis perguntou a profissionais de marketing representantes de diferentes setores qual era a etapa do funil mais desafiadora estrategicamente em seus negócios ou para sua tática de mídia. A maioria afirmou que era o meio do funil, fase utilizada para gerar consideração e interesse pelas marcas. Entre os motivos das dificuldades, 57% dos entrevistados apontaram a competição crescente em seu segmento, o que ampliaria a dispersão e a avaliação por preço; 51%

esclareceram que a intolerância do consumidor a anúncios tradicionais exigia outras maneiras de comunicar; e 20% falaram da sobrecarga de informação à qual os consumidores estavam expostos, o que exige melhores formas de diferenciação e promoção de engajamento. O nível de atenção requisitado por uma marca tornou-se item escasso. É preciso resgatar a relevância da publicidade como conteúdo na vida das pessoas – e é disso que o *branded content* trata. Como vimos, à marca interessa que exista uma compreensão de sua essência por parte de um consumidor. Se a mensagem transmitida é compreendida e tem relevância para quem a recebe, cresce a consideração do sujeito por determinado tema. Se, então, o *branded content* é uma ferramenta para recuperar ou ampliar esse interesse, a checagem de seu funcionamento requer que a avaliação dos gestores de marcas ou campanhas seja feita conjuntamente com toda a estratégia ou tática de mídia. Isolado, sem estar atrelado a outras etapas do funil, é menos provável que o *branded content* seja eficiente, principalmente quando o foco é a conversão em vendas.

Portanto, se dentro de uma estratégia de marketing temos formatos de *branded content* (sejam eles quais forem, desde que se mostrem relevantes, como vimos no Capítulo 4), como avaliar se foi importante tê-los na tática? Resposta: utilizando métricas para avaliar o nível de engajamento com a marca. Essas métricas podem ser: tempo médio dedicado ao seu vídeo (ou taxa de completude); o nível de interação diante do alcance de seus vídeos ou *posts* em redes sociais[25]; o número

---

25. A taxa entendida como eficiente no mercado para mensurar o nível de interação, o engajamento, é de 5% ou mais sobre o total de vídeos de sua campanha, canal, ou mesmo sobre o alcance de um único vídeo.

de conversas ou menções geradas pela sua campanha (como ter sua *hashtag* entre os *trending topics* do Twitter); e a ampliação no número de fãs ou seguidores de sua marca em redes sociais e de inscritos em seu canal no YouTube. Quanto maior for o sucesso dessas métricas, mais consumidores fiéis e, possivelmente, advogando por sua marca você terá, reduzindo assim os custos por aquisição em suas campanhas.

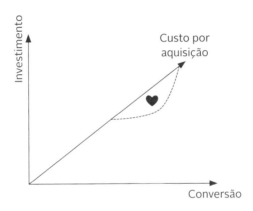

Figura 6. Curso por aquisição ideal

♥ – Indica queda da necessidade de investimentos para aquisição em virtude da paixão pela marca

ROI *VERSUS* KPI

Em 2019, uma pesquisa apresentada pelo LinkedIn procurou esclarecer o que leva muitos profissionais a utilizar as terminologias ROI (*return on investment*, ou retorno sobre investimento) e KPI (*key performance indicator*, ou indicador-chave de *performance*). A pesquisa completa está nas referências bibliográficas, mas, em linhas gerais, o material não só explicava a diferença entre os dois termos como procurava elucidar o que fazia que os profissionais confundissem os dois. Para simplificar, o ROI é o retorno sobre uma estratégia de produto que, consequentemente, terá um desdobramento em uma campanha de marketing. Já o KPI deve estar associado a determinada parte da campanha para gerar modelos de atribuição para as próximas fases ou fazer ajustes durante o processo.

Por exemplo: suponhamos que um fabricante produza uma nova linha de ventiladores ao longo de determinado ano. Ele começará sua campanha em novembro, com um mix de meios e recortes específicos em datas importantes. A primeira delas será a Black Friday, a última sexta-feira de novembro, em que o anunciante, com um parceiro de *e-commerce*, pode trabalhar uma campanha com foco promocional para, inclusive, abrir mão de determinada parte do estoque. Finda a Black Friday, o anunciante avaliará se a campanha teve o sucesso planejado (vender determinada quantidade de ventiladores). A próxima etapa enfocará o Natal, quando o anunciante vai ajustar os investimentos nos veículos parceiros que fez na primeira fase da campanha a fim de obter sucesso semelhante ou maior nas vendas de fim de ano. Passado o Natal, é hora de o fabricante de ventiladores manter sua campanha ativa durante todo o verão, estação-chave para vendas do seu produto. Caso inclua marketing de conteúdo em sua tática de mídia ou tenha como valor da companhia o uso de ventiladores como instrumentos de menor impacto ecológico diante do ar-condicionado, o anunciante poderia adicionar uma etapa de *branded content* na jornada de sua marca durante o período definido. O ROI será avaliado depois de todo o período da campanha de ventiladores, certamente ao final do mês de março. E definirá o planejamento para o próximo ano. Ao longo do processo, os ajustes em sua distribuição entre meios serão feitos de acordo com o KPI, que pode ser o custo por aquisição.

Parceiros digitais como Google ou Facebook já sugerem modelos de atribuição predefinidos no Google Ad Manager ou no Facebook for Business, suas ferramentas de apoio ao anunciante. Eles podem auxiliar, sobretudo, o *e-commerce* nas etapas da jornada do consumidor, da percepção à compra, passando pela consideração por sua marca. Por serem digitais, suas ferramentas permitem ajustes em tempo real, de acordo com o sucesso da campanha.

INVESTIMENTOS E OBJETIVOS

Criei o esquema a seguir para auxiliar anunciantes a visualizar o esforço necessário diante de suas estratégias de mídia, sobretudo se considerarem o investimento em conteúdo de marca.

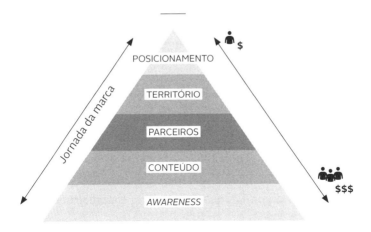

Figura 7. Estruturação de tática de narrativas de marcas

Como venho procurado ressaltar no decorrer deste livro, é pouco provável que o *branded content* atue como fator significativo para aumentar as conversões em vendas se propagado de forma não atrelada a uma campanha estruturada. O *branded content* é uma narrativa que procura engajar a audiência e ampliar a consideração pela marca que patrocina determinado conteúdo. Estabelecer os KPIs para a sua utilização – como métricas de aumento de percepção de marca, aumento da procura por ela e por seus produtos, aumento das conversas sobre ela ou dos sentimentos do que se fala sobre ela, bem como o compartilhamento da campanha – é a melhor forma de mensurá-lo num composto de comunicação. A visão completa da campanha, portanto, é ideal para estabelecer que meios podem circunscrever melhor uma audiência para a qual o *branded content*, como produto audiovisual, pode ser relevante. É natural que veículos segmentados, como revistas, tenham desenvolvido publieditoriais pelo fato de terem uma audiência formada com a qual outras marcas têm interesse em falar. Foi também natural, portanto, que outros meios capazes de segmentar a audiência fossem os meios mais adequados a um estilo de narrativa pautada em transmitir valores.

A maturidade de marca para investir numa narrativa de *branded content* vai depender da plasticidade de seus valores e da conexão destes com o espírito do tempo, de modo que possam representar algo que permita uma identificação por parte do consumidor. Essa narrativa idealmente deve ser a ponta ou o coração da estratégia de uma marca ou organização. Começa pelo seu posicionamento e, a partir daí, pela escolha de territórios em que vai atuar. Isso definido, parte-se para os parceiros necessários e para a campanha que permite o contato com a

Figura 8. Estruturação de tática de narrativas para a marca Pão de Açúcar

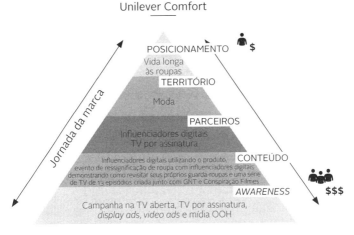

Figura 9. Estruturação de tática de narrativas para a marca Unilever Comfort

audiência. É claro, porém, que muitas marcas, sobretudo as de bens de consumo em massa, tenham começado sua atuação em momentos diferentes da pirâmide. E muitas outras, reforço, não precisam de posicionamento nem de territórios específicos para atuar. O *branded content* é uma ferramenta de *branding*. E marca se constrói com foco e tempo. Os exemplos a seguir mostram uma análise do Pão de Açúcar, marca de uma rede de supermercados que atua baseada em um posicionamento longevo, e Unilever Comfort, cujo posicionamento para sua linha de produtos é revisto periodicamente.

A VISÃO DO POSICIONAMENTO

Como vimos, para ser eficiente no aumento do interesse por determinada marca, o *branded content* precisa ser relevante para o consumidor. Numa lógica de consumo de entretenimento sob demanda, é necessário que a marca, ao se propor a aparecer em uma narrativa, tenha consciência do seu valor na vida daquele com quem se propõe a se falar e reflita se o que está colocando em uma plataforma de vídeo – o YouTube, por exemplo, ou até mesmo a Netflix ou a Globoplay – é pertinente o bastante para ser requisitado pelo consumidor.

Durante minha carreira, cuidei de muitos projetos de narrativas de marca que, além de ter sido exibidos na TV, ficaram disponíveis em uma plataforma sob demanda para que o consumidor pudesse assistir quando e onde quisesse. Mas, embora a oferta de mais de uma plataforma possa dar visibilidade a uma campanha e seja uma oportunidade de negócio para determinado veículo, isso só deve ser feito caso uma equipe sensível a conteúdo reconheça na narrativa a relevância necessária em termos de entretenimento ou informação para o consumidor a ponto de instigá-lo a dar o *play*. As requisições têm mais chance de acontecer, claro, se houver um complemento de mídia suficiente para comunicar a oferta de determinado conteúdo. Então, neste ponto da estruturação de uma tática, já estaria claro que a marca deveria usar a narrativa, de preferência construída em parceria com uma equipe editorial de um veículo ou produtora – ou até mesmo uma agência de publicidade sensível a conteúdo[26]. E, além do orçamento necessário para a construção de um produto audiovisual de qualidade, a marca deveria compreender que o produto só seria consumido como parte de uma visão mais complexa do negócio.

Se uma marca predisposta a criar uma narrativa de *branded content* tem um posicionamento claro, ou até mesmo nasce de um posicionamento, como a Natura, por exemplo, fica mais fácil desdobrar-se em formatos de conteúdo. Criar um posicionamento não é algo fácil. Implica rever os valores de uma organização, sua visão de negócio e sua missão. É fundamental entender como esse posicionamento deve perpassar não só as etapas seguintes da pirâmide, mas, também, como ele é vivenciado e praticado por seus colaboradores.

A DEFINIÇÃO DE TERRITÓRIO

Caso sua marca ainda não tenha um posicionamento claro ou baseado em valores – ou mesmo em um propósito –, ela pode ter os territórios de atuação bem definidos, o que lhe permite não só construir conteúdos, mas, ainda, embarcar em uma

---

26. Muitos grupos tradicionais de publicidade abrem agências dedicadas ao *branded content* para minimizar os vícios de linguagem publicitária nas narrativas de conteúdo de marca que partem de sua gestão. Entre os exemplos, podemos citar The Story Lab (Dentsu Aegis), Blossom (WPP) e C (Publicis).

narrativa já pronta. Um território é a escolha do tema (ou do conjunto de temas) pelo qual a marca pode falar, do qual pode se apropriar ou, em casos mais específicos, o qual pode construir simbolicamente. A associação a território é algo relativamente tradicional no meio publicitário. Logo que as marcas passaram a patrocinar determinado conteúdo a fim de oferecê-lo, o mercado se estruturou visando escolher o que ofereceria de acordo não só com o alcance de determinados meios e veículos, mas também pelos temas que estes abordavam.

Os territórios também podem ter ligação direta com o mercado do anunciante, mas não necessariamente precisam estar atrelados a ele. No auge da indústria da moda no Brasil, na primeira década do século XXI, havia dois grandes eventos sobre o tema no país: o São Paulo Fashion Week e o Fashion Rio. Um passeio pelos corredores deixava claro que marcas estavam direta e indiretamente envolvidas com a moda como território. C&A, Melissa, Havaianas e Riachuelo, por exemplo, eram patrocinadores que inclusive desfilaram coleções atreladas às temporadas do calendário de moda brasileiro. A Natura também abraçou o território, tendo chegado a lançar colônias exclusivas das temporadas de moda que só poderiam ser obtidas em seus espaços no São Paulo Fashion Week. Além disso, outras marcas menos diretamente relacionadas com esse território o consideravam fundamental para endossar sua mensagem – caso de Motorola, Vivo, Oi, Mitsubishi e Guaraná Antarctica.

A força que a moda teve nos anos 2000 está hoje fortemente disseminada na música, outro tema importante para marcas. Anunciantes não diretamente ligados ao tema disputam a arena e as narrativas derivadas de festivais como Lollapalooza ou Rock in Rio. Além da presença no local, é diretamente deles que promovem suas ações de *branded content*, principalmente tendo influenciadores digitais como parceiros.

Alguns territórios são óbvios e têm lastro consolidado pelas editorias segmentadas em meios que consolidaram informação e entretenimento de forma igualmente segmentada, como revistas e canais de TV por assinatura. Cozinha, casa, beleza, automóveis, ciência, educação, animais de estimação e outros segmentos dão contorno a narrativas de produção nas quais sua marca, caso seja afim, pode embarcar – ou às quais pode se aliar para produzir conteúdo. Outros temas menos óbvios, mas relevantes em seus segmentos, tiveram ascensão na internet e, hoje, chamam a atenção de marcas que a eles querem se associar, como cultura *geek*, *games* (também chamados de *e-sports*) e cultura *maker*. Para marcas que nasceram de universos como esses, é mais fácil se inserir no contexto e também produzir conteúdo com temas tão novos. É o que faz a Ubisoft, criadora de jogos populares como o Just Dance que produz conteúdo com base nesse jogo. Outras querem fazer parte desse movimento endossando essas mensagens e produzindo conteúdo nesses novos segmentos.

Se você pretende associar sua marca a temas novos e originais, que seja de forma genuína e construtiva. Se é o caso de se apropriar de temas emergentes, um acompanhamento analítico dos segmentos dos canais do YouTube pode ajudar a analisar se tais assuntos são uma expressão temporal de nicho ou se estão consolidados. E um ponto importante que pode nos livrar de nossos vícios: há claramente identificada no *ranking* do YouTube uma cultura criativa de *makers* de periferia ainda não apoiada efetivamente por nenhuma marca.

Quando falamos de *apps* de música, por exemplo, o Sua Música, criado em João Pessoa (PB) e especializado em música nordestina, em 2019 já era maior que gigantes globais como Spotify e Deezer[27] na região, com mais de 1 milhão de acessos diários. Existe uma cultura criativa de *makers* à margem do que o mercado valoriza atualmente como conteúdo (pelos motivos que vimos nos primeiros capítulos deste livro). Que tal olhar para esse mercado e, com respeito e licença, escolher parceiros que possam formatar conteúdo a partir dele? Na sequência, falaremos sobre parcerias.

PARCERIAS

As narrativas de uma marca podem ser construídas, mas também embarcar em outras já prontas. Se há clareza sobre o território de atuação, a marca pode estar presente em uma história sem necessariamente ser a autora dela. A escolha de veículos segmentados como parceiros facilita o contato com uma audiência construída e, muitas vezes, se beneficia do que esse veículo também construiu como valor. Isso é tradição dos publieditoriais de meio impresso que foi transportada para a TV, principalmente a por assinatura, e hoje alcança o universo dos influenciadores digitais. É comum ouvir deles que dificilmente topariam fazer um conteúdo endossando uma marca na qual não confiam. Também é comum que as marcas lhes enviem produtos sugerindo que, diante das câmeras, os usem e avaliem. Mas sabemos que essa é mais uma ação de relações públicas do

---

[27]. Rafael Rodrigues da Silva, "Conheça o Sua Música, o app brasileiro que desbancou o Spotify no Nordeste". Canaltech, 18 jan. 2019. Disponível em: <https://canaltech.com.br/apps/conheca-o-sua-musica-o-app-brasileiro-que-desbancou-o-spotify-no-nordeste-131131/>. Acesso em: 18 fev. 2020.

que *merchandising*, pois não é paga. Com certeza não se trata de *branded content*. Entretanto, há iniciativas complexas de conteúdo em que as marcas escolhem influenciadores digitais como protagonistas. Companhias aéreas ou destinos turísticos utilizam muitos como parceiros, pois convidá-los para um roteiro e brifá-los para gerar conteúdo costuma transparecer naturalidade. Outra vantagem da parceria com influenciadores é que eles oferecem a combinação mídia com audiência garantida + produção audiovisual. Hoje, os veículos tradicionais de mídia oferecem soluções semelhantes para a produção de conteúdo *branded* caso não tenha narrativas nem períodos de gravação disponíveis para uma marca embarcar. Tais veículos, sobretudo os canais de TV, têm a capacidade de produção estruturada para veiculação em canais lineares ou digitais, e somam a esse serviço a audiência garantida em plataformas digitais – tradicionalmente atrelada às negociações com anunciantes.

CONTEÚDO

A parte mais delicada e importante de uma narrativa de *branded content* requer uma reflexão que procurei fundamentar nos primeiros capítulos deste livro. Tornar o conteúdo da marca relevante para a audiência, e agregador para a mensagem e o negócio, requer parceiros adequados e sensíveis a esse universo. É claro que, como vimos, a publicidade tradicional também é conteúdo e tem o poder de engajar a audiência a partir do momento em que é relevante. Mas, em um espaço escasso (os intervalos comerciais de TV), as mensagens eram mais controladas e conseguia-se, inclusive, imprimir uma estética e um ritmo de produção publicitária que seriam consumidos e avaliados pela audiência dessa ótica. Mesmo que hiperestetizados, tais comerciais faziam sentido para quem assistia a eles – e assim eram disseminados e adorados. Hoje, o espaço de conteúdo das marcas nos meios digitais é infinito, e a audiência demonstra nos números e nos comentários como o conteúdo está sendo recebido. Assim, diante dessa liberdade de criação e publicação, e desse contato direto e rápido com o público, contratar produtores especializados em conteúdo não publicitário, roteiristas, diretores e produtores executivos afins a esse universo artístico minimiza os riscos. Cito o esteticamente competente *reality show* liderado pela Nestlé do Brasil para a marca Nespresso em 2018, o Nespresso Talentos da Gastronomia. Veiculado no YouTube, a competição, apresentada pela atriz Adriana Alves, trazia aprendizes de *chefs* renomados da cidade de São Paulo para competir por um estágio em um restaurante com estrela Michelin na Europa. A produtora escolhida como parceira foi a Búfalos, especializada em contar histórias para marcas. Foi também a Nestlé, pela marca Molico, que escolheu o coletivo de criadores Asas para estruturar a narrativa para sua marca, porém com o território feminino já bem embasado com o apoio de outros parceiros, como a consultoria Studio Ideias e o diretor criativo Peèle Lemos. Com o tema #ovalordofeminino, a Asas realizou, em parceria com a Molico, a série *Humanidade em mim* e, posteriormente, em parceria com o Molico e GNT, a série *Humanidade em nós*. Claro que esses trabalhos podem contar com o apoio e a inteligência das agências de publicidade tradicionais, mas se beneficiam mais da relação direta entre gestores sensíveis a conteúdo e parceiros especializados em narrativas pertinentes para o público.

AWARENESS (DE NOVO!)

Assim como no funil de marketing, essa etapa precisa ser considerada para a divulgação de um conteúdo de marca, entendendo o produto audiovisual como um dos espaços que devem receber o público durante uma campanha. A *awareness*, sabemos, é importante para o resultado de sua campanha como negócio em si e também responsável pelo sucesso de seu *branded content*. Afinal, estamos falando da capacidade de ser notado, ou seja, de as pessoas terem contato com aquilo que sua marca está fazendo. Seja qual for a plataforma escolhida, é preciso atrair audiência. É mais difícil que seu conteúdo seja consumido espontaneamente.

Gerar *awareness* é também é etapa mais cara de uma campanha. Estar em veículos de audiência consolidada, como canais de TV, digitais ou redes sociais de amplo alcance ou grande número de inscritos, requer investimentos compatíveis com a capacidade de entrega desses veículos. Mesmo que se crie um canal no YouTube da marca para divulgar seu produto, será preciso construir uma audiência que se engaje com o conteúdo, o produto e o serviço. Então, salvo ações que se tornam virais por, na maior parte das vezes, um sucesso não previsto pelos publicitários, essa é a etapa que consumirá a maior parte do orçamento.

7.
Exemplos das práticas de marcas em *branded content*

Procuramos demonstrar no capítulo anterior que, num composto de comunicação, o conteúdo de marca deve se adequar à etapa de consideração e interesse do consumidor por ela. O *branded content* é a forma mais prazerosa de o consumidor receber os valores da comunicação de uma marca. A narrativa deve gerar afeto de forma que ele advogue por ou estabeleça uma conversa com ela. A consideração por uma marca é evidenciada pela conexão entre os valores dela e do consumidor: o engajamento. Em resumo, vimos até aqui que o conteúdo promovido por uma marca, independentemente da plataforma ou do formato, tem essa capacidade a partir do momento em que a percepção do consumidor sobre o que a marca enuncia seja verdadeira. A ascensão das plataformas sociais de comunicação evidenciou os comportamentos de nichos múltiplos em torno de temas, valores e conversas específicos, muitos deles nem sequer mapeados pelos anunciantes. As marcas tiveram de assimilar o fim da emissão unidirecional da mídia. Era preciso cativar a atenção do consumidor nas rodas de conversa em que ele é agente ativo.

Vimos que a mídia segmentada tem tradição em explorar temas e narrativas de maneira dedicada e especializada. A ascensão das revistas e dos cadernos segmentados nos jornais anunciava que já havia espaço para uma conversa diferenciada com o público. Este tinha mais afinidade com determinados temas e então se partia para a comprovação numérica desse fato. O *branded content* entrou para endossar, pelos temas abordados, as narrativas e os valores propostos pelas marcas. Agora, vamos aos exemplos do dia a dia. A análise dos *cases* de *branded content* em vídeo que proponho a seguir parte da escolha de determinadas marcas de onde atuar, endossando ou criando narrativas que ampliam a admiração por seus posicionamento e produtos.

GÊNEROS DAS NARRATIVAS

É fundamental entender se o caminho da marca é produzir conteúdo baseado na ficção ou na realidade factual do cotidiano ou da história. A produção de ficção para *branded content* é um caminho possível. Mas, pela complexidade, pode levar mais tempo e ser mais onerosa que aquela baseada em fatos. Basta ver os custos estimados de capítulos de filmes, séries ou novelas, por exemplo, no Internet Movie Database (IMDb). Exatamente por esse motivo, são mais raros os exemplos de *branded content* de ficção, mas destaco o trabalho do humorístico Porta dos Fundos, que é capaz de engajar pelo humor fictício não só a audiência como também marcas que querem que o coletivo crie para suas necessidades. As marcas que almejam entrar nas conversas do grupo não necessariamente produziram algo por conta própria. Há, ainda assim, produções fictícias de *branded content*, como a que avaliaremos mais adiante: a série *Marias*, viabilizada pela Kimberly Intimus.

Já os conteúdos factuais são mais fáceis de ser transformados em narrativas de *branded content*. Eles também se valem da delimitação de territórios das marcas, ou seja, dos caminhos e recortes editoriais pelos quais se manifestarão. Ao entenderem que determinado território temático no qual atuam pode ser desdobrado em conteúdo que parta de fatos cotidianos ou históricos, as marcas conseguem expressar seu posicionamento na forma de entretenimento ou jornalismo – por exemplo, em um documentário. O entretenimento factual se desdobra em narrativas em formato de revista eletrônica (uma espécie de evolução do publieditorial para o vídeo). O factual é essencialmente jornalístico quando o *branded content* investiga ou documenta fatos. Há, naturalmente, muito debate sobre o fato de marcas financiarem uma produção jornalística. As opiniões mais puristas consideram que o trabalho investigativo de um jornalista é exclusivamente fruto de sua atividade. Compartilho da visão de que, sendo declarada a intenção e a participação da marca no processo – e é assim que precisa ser –, uma série documental ou mesmo investigativa pode, sim, ser promovida por uma marca.

Por fim, outros formatos de vídeo que se mostram amplamente congruentes com as narrativas de *branded content* são os musicais, os jogos ou competições – estes, inclusive, na forma de *reality shows*. Nesses formatos, em geral as marcas promovem seus produtos e benefícios na prática, não obrigatoriamente tendo um território delimitado de atuação ou um propósito que precise ficar elucidado. Em muitos casos, mas não em todos, é entretenimento puro e a forma de conectar-se com o público.

Em síntese, os gêneros de vídeo funcionais para o *branded content* podem ser classificados majoritariamente da seguinte forma:

Produção ficcional	Filmes Séries
Apropriação factual	Séries jornalísticas Documentários Revistas eletrônicas de variedades Debates, entrevistas e *talk shows* *Reality shows* documentais e de depoimentos
Musical	Shows Videoclipes
Jogos e competições	*Reality shows* de competição Campeonatos esportivos

Vejamos alguns exemplos de cada formato para sedimentar melhor o que discutimos até aqui.

PRODUÇÃO FICCIONAL

As marcas embarcadas no humor do Porta dos Fundos

Na visão de muitos anunciantes, a produção de humor e publicidade costuma funcionar bem quando eles ou suas agências têm alto poder de controle da mensagem. A linha tênue entre a mensagem emitida pela marca e a capacidade de fazer rir é motivo de preocupação e tensão para gestores. O Porta dos Fundos, coletivo de humoristas que compõe um dos maiores canais do YouTube, sendo em 2020 o 16º maior do Brasil, com mais de 16 milhões de inscritos, tornou-se conhecido rapidamente por publicar, em meio à sua produção, esquetes debochando de marcas. TIM, Coca-Cola e Spoleto foram algumas das marcas abordadas em caráter ficcional e humorístico pelo grupo, mas foi Spoleto a primeira a ter coragem de entrar na história, reconhecendo os pontos exaltados pelo grupo e abraçando a autocrítica ao seu atendimento. A rede patrocinou outro vídeo criado pelo Porta dos Fundos, em que novamente se permitia ser alvo de humor crítico, mas também abriu um canal para que os consumidores denunciassem as lojas onde fossem mal atendidos.

Quando a Coca-Cola foi protagonista não oficial de outro vídeo humorístico do Porta dos Fundos, a marca aproveitou para compartilhar espontaneamente a ação em seu Twitter com o mote "quanto mais humor, melhor". Pronto: o mercado publicitário estava de olho no fenômeno da trupe. O grupo fez diversos vídeos para diferentes marcas, alguns expondo declaradamente que se tratava de uma ação patrocinada, outros construídos de maneira velada para não prejudicar a espontaneidade. Em ambos os casos, a alcance do Porta dos Fundos, fruto da criatividade da equipe, garantia o sucesso das narrativas. Como um grupo de humoristas profissionais, era necessário que o Porta dos Fundos se abrisse aos negócios das marcas – mantendo sua identidade, mas sem deixar de cumprir o *briefing* comercial. Um vídeo chama a atenção por trazer em formato de metalinguagem o processo de criação de conteúdo de marca entre o coletivo e um anunciante – no caso, a Ford. Intitulado "Reunião de criação", o vídeo demonstra em tom debochado as tensões entre as áreas criativas que precisam ser remuneradas pelo seu trabalho e os tradicionais *dos e dont's* (fazer e não fazer) das marcas que patrocinam ou brifam ações de *branded content*. O grupo evidenciou que, quando a criação é restritiva e a marca não se sente segura em embarcar numa narrativa humorística capaz de ser organicamente compartilhada devido ao engajamento, a mensagem pode ficar dura. Não dá para saber se foi o caso da Ford, pois o vídeo ilustra uma reunião extremamente restritiva com o cliente e, ao final, estampa a logomarca exibida de forma gritante com a chamada "conheça a linha global" – certamente um grande *do* do briefing. Mas o vídeo acabou se tornando educativo para o mercado publicitário, que entende o potencial de engajamento do humor, mas pode se sentir inseguro em entrar ou gerar esse tipo de conversa.

Intimus em série de ficção

A Kimberly Intimus, marca adepta do *branded content*, valoriza a menstruação como uma fase de potência da mulher. Numa iniciativa muito mais controlada do que uma parceria com um coletivo de humor disruptivo como o Porta dos Fundos, a marca construiu cinco temporadas da série de ficção *Marias*, exibidas não só na TV por assinatura como no canal do Intimus no YouTube. A série, lançada em 2015 nos canais Telecine, parte de situações reais envolvendo menstruação e como cada personagem lida com seu ciclo. De lá para cá, conquistou trajetória própria: hoje, os episódios de até 5 minutos são exibidos no YouTube e no Canal Sony. A narrativa, criada pelas agências Ogilvy e VML, conta a história de mulheres com o primeiro nome igual – Maria –, mas com diferentes personalidades e com regras próprias para a vida e para a relação com a menstruação. Os produtos Intimus são inseridos de forma sutil na narrativa, sem qualificação ou momento semelhante ao *merchandising*, naturalizando a relação da mulher com o produto.

Interessante notar que o que começou como a história de seis moças brancas de classe média evoluiu para uma narrativa que se permitiu ampliar o espectro de representações. Na quarta temporada, *Marias* incluiu personagens mais próximas da realidade de mulheres de verdade, atenta às transformações do nosso tempo, com diferentes corpos e personalidades. Na primeira temporada, Intimus convidou as mulheres a contar suas histórias no Twitter com a hashtag #soumaria, mas a ação não teve o resultado esperado. A solução foi trazer as próprias fãs também para a quarta temporada de Marias para contar suas histórias e, também, permitir mais abrangência do espectro identificatório.

APROPRIAÇÃO FACTUAL

Natura em série documental

Figura 10. A apresentadora Fernanda Paes Leme interage com o perfume Natura em cena (foto: reprodução)

Em relação às narrativas que partem de um propósito que está no DNA da marca, não posso deixar de citar a Natura, marca com quem há anos trabalho. São inúmeras as ações com a empresa e seus subprodutos que se espalharam no GNT não só no intervalo comercial, mas também em muitos programas consolidados do canal. Além do *Saia Justa*, programa de que foi patrocinadora desde a estreia, em 2002, a Natura também esteve no *Superbonita*. O enfoque e a naturalidade com que essa marca aparece no canal vêm de valores muitos semelhantes entre ambos. A Natura preza pela verdade em sua forma de produzir e pela relação com todos os que são impactados por seu negócio – do consumidor aos acionistas e à comunidade. Além disso, valoriza um discurso que não pressiona a consumidora a ser algo que não conseguiria ser. Não busca uma beleza inalcançável, pois prioriza estar bem consigo mesma, independentemente da idade.

Em 2019, além dos inúmeros debates e ações comerciais promovidos na programação da TV, construímos com o anunciante um conteúdo para o YouTube que falava de mulheres que não tinham vergonha de ser o que são para lançar o perfume Luna Rubi. Fernanda Paes Leme, Thaynara OG, Ellora Haonne e Gabi Oliveira foram protagonistas da série *Mulheres Sem Vergonha*, que se propôs a promover reflexões e gerar conversa sobre os desafios da mulher contemporânea para as redes sociais do GNT e dos talentos escolhidos. Houve recortes do conteúdo na TV, mas foi nas redes sociais que o engajamento com o tema, principal objetivo da Natura ao acionar o GNT como parceiro, aconteceu. Entre os comentários do público sobre a série, alguns reforçam como o *branded content* endossa o território escolhido e a apologia à marca quando ela quer gerar conversas como estas:

Eu amo o jeito como a Fe fala! Sempre fico pensando que minha risada não é toda fofa de princesa e que meu jeito "palhaça" assusta algumas pessoas... mas é melhor ser considerada louca do que viver uma vida que não é nossa!

Eu sou mto tímida. Tenho vergonha de ser eu mesma. Parece que tem 3 de mim, a Eu com a família, a Eu com os amigos e a Eu comigo mesma, a que eu tenho vergonha de mostrar para as outras pessoas, e às vezes acho que essa Eu que só eu conheço as pessoas nunca vão conhecer, o que é louco, pq eu acho essa Eu superlegal e divertida, que dança e tudo, mas que a vergonha não deixa mostrar. Acho que falta uma mistura de aceitação com amor-próprio e menos insegurança.

Agradeço mto a Ellora por todo o processo dela, porque com isso ela conseguiu me ajudar no meu processo.
Gratidão.

Muito bacana o depoimento dela. Vamos chamar mulheres gordas pra falar sobre aceitação do corpo? Pra quem é branca e magra, esse processo de libertação das imposições estéticas femininas é muito mais tranquilo.

Itaú em documentário de investigação sobre mobilidade urbana em bicicletas

Partindo do mote do que pode mudar o mundo para melhor, o Itaú tem uma meta ousada para uma instituição financeira: tornar-se uma marca amada ou, como se diz em marketing, uma *love mark*, despertando paixão sobre algo que vai além da relação racional com produtos financeiros em si. Poucas marcas têm espaço tão privilegiado na mente de um consumidor. É comum lembrarmos de Apple, Disney, Netflix ou Nike, mas raramente uma instituição financeira, sobretudo nacional, chega a esse patamar. Música, educação e tecnologia sempre permearam algumas das ações do banco, que é reconhecido, ao menos entre profissionais de comunicação, como autor de mensagens poderosas em datas temáticas, sobretudo no fim do ano. No final de 2019, o Itaú, mais uma vez, protagonizou uma das mais belas mensagens em vídeo que circularam nos meios digitais: um filme que mostrava um robô reconhecido pela sua capacidade tecnológica e por suas potencialidades, mas que se comparava com os seres humanos em busca dessa humanidade que ele jamais poderia ter. A mensagem desse filme de 2 minutos foi compartilhada em redes sociais e, em fins de dezembro de 2019, já tinha 17 milhões de visualizações no YouTube, com sentimento positivo na opinião do público e da mídia especializada.

O Itaú também é um dos principais patrocinadores do serviço de compartilhamento de bicicletas em cinco metrópoles brasileiras e em Santiago do Chile. O banco incorpora de maneira mais contundente o debate sobre mobilidade, oferecendo inclusive crédito para a compra de bicicletas. Há tempos se vem discutindo a mobilidade nas cidades, um dos principais pontos para quem busca qualidade de vida em centros urbanos. Um ponto essencial no debate é conscientizar o público quanto a possibilidades que vão além do automóvel individual e de uma rede de transporte de massa percebida como de má qualidade. O banco escolheu a Vice – grupo de mídia global que também atua no Brasil –, especializada em produtos impressos e audiovisuais com linguagem jovem e arrojada, para estruturar um documentário que acompanha a jornada diária de pessoas que optaram por se locomover de bicicleta em São Paulo. A Vice é reconhecida pela autenticidade de suas mensagens, e era isso que o Itaú procurava ao falar de mobilidade em duas rodas: algo verdadeiro. O documentário *Ciclos*, disponível no YouTube e também veiculado no canal Off, debate a inserção das bicicletas no meio urbano, problematizando a questão do ponto de vista de outros agentes no trânsito, como taxistas, e promovendo o debate entre os próprios ciclistas e suas diferentes necessidades e ideologias. O documentário teve mais de 130 mil visualizações no YouTube, com engajamento não muito alto, porém extremamente positivo, e se mantém como conteúdo atual e pertinente para a marca.

Avon em documentário feminista

Desde 2016, a Avon investe em uma comunicação que emprega elementos estéticos de representação mais diversos no Brasil, principal mercado da marca. O movimento, que é acompanhado também de outras marcas do segmento de beleza, tornou-se característico da estética publicitária de Avon e de suas ações de *branded content*. Em 2017, a marca produziu, em parceria com a agência Mutato e a produtora Maria Farinha, o documentário *Repense o elogio*. Em linguagem corajosa, o filme trata das impressões e dos arquétipos construídos na linguagem para identificar as meninas – debate pertinente e atual que também se conecta com os fundamentos sobre marcas e *branded content* que vimos na primeira parte do livro. *Repense o elogio* problematiza as predefinições da cultura sobre os papéis que as mulheres ocupam, sobre o que delas se espera e com o que, como meninas, podem se identificar, tendo educadores e pais como mediadores dessa construção simbólica. Ampliar o elogio para além da "beleza", da "delicadeza" ou das "atitudes de princesa" é oferecer um aspecto mais abrangente de oportunidades de identificação. Afinal, em linha com o pensamento de Clotaire Rapaille, o elogio é uma manifestação das impressões nas quais a menina tende a querer se encaixar com base na mediação de seus educadores. Se os elogios reforçam estereótipos para uma criança que está se inscrevendo no mundo, é preciso abrir o leque de possibilidades identificatórias. Elogiar uma menina quando ela é corajosa, forte ou ativa aumenta o espectro de representações do que ela pode se tornar, caso queira. Isso combina com o que a Avon tem proposto em sua comunicação: maquiagem para quem quiser usar e do jeito que quiser usar.

A recepção do documentário foi turbulenta. No YouTube e nas redes sociais, as manifestações de desaprovação foram maiores que os sentimentos positivos, principalmente porque no Brasil o debate sobre a discussão dos papéis de gênero estava bastante acirrada. O GNT, marca em linha com os ideais da Avon, exibiu o documentário em sua grade por acreditar no projeto. Mas mais surpreendente foi a posição da Natura: embora esta ainda não houvesse adquirido a Avon, incentivou seus consumidores, nas redes sociais, a assistir ao documentário, demonstrando o engajamento da marca com a causa da, até então, concorrente.

Grupo Boticário em documentário investigativo
Na esteira do debate acerca dos papéis de gênero como construção social promovida pela Avon, em 2016 o Grupo Boticário

produziu, com o coletivo jornalístico Papo de Homem e o apoio da ONU Mulheres, o documentário *Precisamos falar com os homens*. Este teve mais de 160 mil visualizações no YouTube, despertando sentimentos sobretudo positivos. O formato partiu de uma pesquisa com mais de 20 mil homens em todo o Brasil e, em depoimentos e entrevistas, tratava das questões identificatórias da cultura para os meninos. A agressividade, a força, a racionalidade e a destreza, quando exaltadas como principais elementos simbólicos com os quais os meninos podem se identificar, acabam realçando traços de personalidade extremamente severos. Essa severidade, que se manifesta muitas vezes em intolerância à fraqueza ou às frustrações, faz que os homens extravasem sua agressividade contra parceiras ou contra si mesmos na forma de suicídio – a taxa entre eles é quatro vezes maior que entre elas, segundo o próprio documentário. O mito do homem espartano, o principal arquétipo inconsciente traduzido em impressões na cultura – como o motorista hábil e veloz, o analista de mercado arrojado ou o esportista infalível –, cria uma imagem que cobra um alto preço social. Felizmente, marcas e agentes como o Grupo Boticário, o Papo de Homem e a ONU Mulheres propõem rever esses estereótipos. E, demonstrando coerência, essa produção está em sintonia com a estética de comunicação da principal marca do Grupo Boticário, O Boticário.

Seara Gourmet em revista eletrônica de culinária
Muitos anunciantes não se enxergavam como criadores de conteúdo. Se antes reduziam sua relação com o tema contratando agências de publicidade e tinham dificuldade de construir uma narrativa, com o advento do YouTube e de outras

plataformas de vídeo isso mudou: as marcas passaram a testar-se como *publishers*. Em 2018, a Seara Gourmet procurava um parceiro para resolver uma necessidade de percepção e frequência de compra de um produto até então associado a ocasiões especiais. Com um portfólio de embutidos, derivados sobretudo de suínos e outros produtos de preparo e procedência especial, a marca precisava aumentar o *ticket* e a frequência de compra de sua linha *premium*.

Entre as ferramentas disponíveis para atender ao anunciante, a cocriação é uma forma de reconhecer na marca embasamento e criatividade suficientes para soluções de negócio e linha de comunicação. A técnica de *design thinking* permitiu que fosse estruturada uma dinâmica de criação denominada *lab* por muitos veículos, em alusão a laboratório. Em síntese, em um ou poucos dias, o anunciante e os parceiros envolvidos chegariam a caminhos viáveis para solucionar o problema apresentado e transformá-lo em conteúdo.

A ferramenta de *design thinking* nas empresas, na forma de laboratórios criativos com foco em soluções ágeis de negócio, passou a ser muito utilizada por veículos no mercado brasileiro a partir da década de 2010. O Grupo Globo, a Disney, o UOL e o Facebook, entre outros, criaram metodologias próprias, com salas e equipes dedicadas ao formato. A dinâmica no GNT uniu o anunciante, as agências envolvidas com a marca e as equipes de produto, pesquisa, comercial e conteúdo. Em um único dia, realizou-se uma imersão que culminou em ferramentas colaborativas em grupos para eleger as melhores propostas, com resultados efetivos e práticos ao final. Os times votaram nas apresentações dos grupos e o anunciante escolheu o caminho a seguir.

O *Momento Gourmet* e seus desdobramentos são fruto dessa dinâmica. Desenvolvemos juntos a possibilidade de trazer um *chef* e seu talentoso assistente, reconhecidos pela aproximação que geram na cultura brasileira com a culinária de qualidade: Claude Troisgros e João Batista Barbosa de Souza. Foram criados dois programas personalizados na TV por assinatura em que a dupla de *chefs* cozinha com produtos Seara Gourmet. E, no YouTube, Claude desafiava influenciadores – como Ana Maria Brogui, Gabi Rossi, Diego Assalve (Comida de Pai) e Ju Ferraz – a criar outras receitas que pudessem gourmetizar o dia a dia, instigando a frequência de uso dos produtos Seara Gourmet.

Figura 11. Os apresentadores João Batista e Claude Troisgros preparam receitas e contracenam com produtos durante a gravação (foto: Carlos Henrique Galante)

As visualizações do conteúdo no YouTube chegaram a aproximadamente 300 mil por vídeo. Porém, mais relevante que o alcance era o engajamento do público com o conteúdo. O aumento das buscas no Google, segundo o anunciante, cresceu consideravelmente no período de exibição. Personificar a marca, aproximar-se do público qualificado e prolongar essa conversa num formato perene no YouTube foram os principais resultados dessa dinâmica do ponto de vista de formatação de projeto e construção de *branded content*.

Arteris em documentário-registro

A Arteris é uma empresa brasileira que atua na administração e manutenção de estradas operadas em caráter de concessão. A linha condutora de sua prática é a preocupação com o impacto ambiental, e ela pretende evidenciar esse fato à sociedade usando credibilidade. Antes de entrar no audiovisual, a Arteris manteve parceria com o *media lab* do jornal O *Estado de S. Paulo* para manter ativo um portal com reportagens sobre segurança, inovação e mobilidade nas estradas. Mas, de forma corajosa, a empresa foi além. Entregar-se a uma narrativa especializada, que acompanhou a realização de uma obra complexa a ponto de render conteúdo atraente, é também abrir-se às intempéries que podem surgir durante a captação. O parceiro escolhido foi o Discovery Channel, que, dentro da série *Mundo inovação*, construiu uma narrativa de *branded content* para a marca. No programa, a obra complexa da Arteris contou com computação gráfica para gerar uma experiência audiovisual mais interessante a quem assistia e tentar transmitir o fascínio dos engenheiros ao espectador comum. Somou-se à narrativa a história do engenheiro civil Eneo Palazzi, de 77 anos, que atribui à obra sua conclusão de carreira. E, também, a paixão dos biólogos pelo meio ambiente e pelos animais impactados pela obra, recolhidos e transportados para outros locais da Mata Atlântica. As ocorrências policiais e a história de uma caminhoneira recheiam a narrativa no esforço de transformar a documentação de um projeto corporativo de engenharia em histórias que possam gerar empatia no público final.

Vitasay 50+ em *talk show*
Na década de 1980, a Vitasay obteve reconhecimento como a vitamina recomendada pelo artilheiro Pelé. A marca tornou-se rapidamente conhecida, sobretudo pela publicidade na TV, mas praticamente desapareceu do mercado até ser adquirida pelo laboratório Hypera, em 2014. O trabalho de conceituação da marca era necessário para posicioná-la de forma diferenciada diante dos concorrentes polivitamínicos. O Brasil já estava mais maduro no consumo de suplementos alimentares em pó ou em cápsulas; marcas como Centrum, Imecap, Nutren e Stresstabs mostravam-se consolidadas nas prateleiras e no dia a dia dos consumidores da categoria.

A Vitasay adicionou o termo 50+ à sua nomenclatura, elucidando a que público se dedicaria e sobre que território visava se construir. A marca estudou o público de 48 a 54 para entender o que acontece na vida de homens e mulheres numa fase simbolicamente invisibilizada pelo mercado, tão viciado em comunicar para o público mais jovem. A Hypera percebeu que há pouca representação do que significa estar aos 50 anos nas narrativas, sobretudo audiovisuais. O laboratório entendia também que era muito mais difícil para as mulheres do que para os homens chegar aos 50. Menopausa, perda da elasticidade do corpo, cabelos brancos, variação brusca nos hormônios e perdas simbólicas e familiares praticamente colocavam o sexo feminino em posição antagônica aos homens de 50: para eles, a fase era o auge, principalmente para aqueles que consolidaram trabalho e relacionamento. Muitos deles ainda eram tratados pela mídia como desejados, interessantes e aspiracionais. Já as mulheres estavam num espectro que gerava pouca identificação: não eram bem representadas.

O desafio para o Hypera estava desenhado: era preciso ressignificar essa etapa da vida e falar com esse público para gerar reconhecimento de valor. A pesquisa na mídia demonstrava que, apesar da invisibilidade dada sobretudo às mulheres nessa fase, havia pontos de representação. Um deles era o programa *Saia Justa*, no GNT, em que mulheres de 40 a 59 anos debatiam temas de comportamento à luz de suas experiências de vida. A atriz Mônica Martelli, parte do elenco, aos 51 anos em 2019, representava claramente essa mulher no auge. A carreira, a vida amorosa, a maternidade e a capacidade de protagonizar suas transformações faziam de Mônica o rosto ideal para a marca, o *Saia Justa* o programa ideal para debater os 50 anos e o GNT uma marca com credibilidade editorial para endossar tudo isso.

Mas a campanha do Vitasay 50+ não se resumia ao debate na TV. Mesclava comunicação nas TVs aberta e por assinatura, ações de assessoria de imprensa com foco em promover a discussão do tema e até uma festa com a presença de Fernanda Abreu e Toni Garrido, no Rio de Janeiro, para celebrar os 50. No GNT, construímos um conteúdo para os intervalos em forma de programete, com Mônica Martelli contando como era chegar aos 51 anos. No *Saia Justa*, montamos quatro pautas editoriais sobre o assunto. Discutiu-se, no primeiro programa, a ressignificação dos 50 partindo das potencialidades dessa idade para homens e mulheres. No segundo, abordamos o relacionamento numa idade que une amor e experiência, mas também preconceito nas relações. No terceiro, falamos da reinvenção do trabalho aos 50 anos, principalmente entre as mulheres que, hoje, lidam mais abertamente com assuntos como assédio e feminismo no mercado de trabalho. E concluímos as pautas no *Saia Justa* com o tema do autocuidado aos 50 anos, com foco numa beleza real que atravessa fatores como ganho de peso e baixa na libido. Ainda fechamos o debate trazendo outro programa da grade da GNT que poderia repercutir o tema entre os homens: utilizamos o *Papo de Segunda*, cujo elenco composto por Fábio Porchat, Francisco Bosco, Emicida e João Vicente se propôs a falar dos 50 anos entre homens e mulheres; a cantora Fernanda Abreu foi convidada para ampliar o debate.

Figura 12. Elenco do programa *Saia Justa*, no GNT, debate a vida após os 50 anos (foto: reprodução)

Não necessariamente a construção do Vitasay 50+ partiu de um propósito. Não se trata de algo intrínseco aos valores do laboratório Hypera ou ao DNA da marca. Mas havia clareza e determinação do território por onde a marca desenvolveu sua atitude de comunicação. Com base nessa clareza, ela foi capaz de desdobrar todo o seu discurso em narrativas pertinentes para a audiência, entre elas o *branded content* nos intervalos e na programação da TV por assinatura.

Rayza Nicácio como embaixadora TRESemmé

O primeiro contato que tive com Rayza Nicácio foi em 2015, quando gravava um *reality show* de intervenção em salões de cabeleireiros cujo patrocinador era a Unilever-TRESemmé. Em uma das ações de *merchandising*, em que a marca pretendia demonstrar como utilizar sua linha de produtos, a modelo enviada à gravação contratada pela Unilever era a ainda jovem e iniciante influenciadora, oriunda também de um mercado em ascensão: o dos influenciadores digitais. A Unilever, anualmente, negocia para suas diferentes marcas de beleza os influenciadores que produzirão e publicarão conteúdo nas próprias redes sociais e, eventualmente, nas redes dessas marcas. Rayza, cujos cachos combinavam com o portfólio de soluções TRESemmé, já era parceira da marca antes dos seus mais de 1,5 milhão de seguidores no Instagram e mais de 1,7 milhão de inscritos em seu canal do YouTube. Anualmente, a marca contrata uma quantidade de conteúdos que são brifados pelo anunciante e publicados pelos influenciadores em suas redes.

Ao longo dos anos, por exemplo, além de marcar presença em eventos da TRESemmé – como na Semana de Moda de

Nova York, da qual a marca foi patrocinadora –, Rayza publicou *workshops* de beleza para cachos ao lado do cabeleireiro e também embaixador da marca Eron Araújo, fez resenhas e explicou o uso das novidades da linha da marca, conversando com seus seguidores sobre os temas apresentados. As vantagens do contrato com influenciadores ficam expressas nas postagens: o alcance, a conversa com o público fiel, a orientação e o incentivo sobre o uso e, não menos importante, a facilidade de captação, finalização e produção de conteúdo por um preço atraente no mercado publicitário. Muitos influenciadores têm equipes ou estúdios próprios e oferecem essa solução completa ao anunciante.

Em 2018, a TRESemmé ampliou sua presença entre influenciadores digitais numa ação de experimentação do novo portfólio. Além de influenciadoras gigantes como Camila Coutinho e a própria Rayza Nicácio, a marca trouxe mais de 7 mil microinfluenciadores para fazer um teste às cegas e ainda ofereceu R$ 20,00 para que o consumidor experimentasse o portfólio recém-lançado. Tal estratégia de lançamento com os influenciadores é um exemplo de todas as etapas do funil concentradas num mesmo ambiente e numa mesma mídia – no caso, o YouTube e o Instagram.

JOGOS E COMPETIÇÕES

Make B em *reality show* de competição de maquiagem

Em 2012, a marca de maquiagem Make B, d'O Boticário, tinha um desafio declarado por sua então diretora de publicidade: ser referência de qualidade entre maquiadores do Brasil. O Boticário era, então, o maior varejista mundial no mercado de beleza. Tinha uma capilaridade gigante no Brasil, com lojas e venda direta por representantes da marca. Cada um desses canais de vendas expunha o conjunto de produtos Make B. Na ocasião, o maquiador Fernando Torquatto era o curador e idealizador das coleções de maquiagem da marca. Torquatto também fazia parte do elenco do canal GNT, contribuindo para o lastro de beleza inerente à marca de um canal segmentado sobre estilo de vida na TV por assinatura.

O Boticário já tinha a tradição de anunciar em canais de comunicação de massa e em meios capazes de aumentar o apreço por sua marca. Sua grande penetração na população ampliava a participação de mercado de seus produtos e incomodava seus principais concorrentes no Brasil. Suas lojas eram visitadas sobretudo durante o ato de presentear, por isso as campanhas da marca são tão enfáticas em datas comemorativas ao longo do ano. Mas a linha de maquiagem Make B ficava diluída em todo o mix de comunicação. Dentro do conjunto de marcas O Boticário, a Make B estava suficientemente madura para se tornar referência em lembrança de marca quando o assunto fosse maquiagem.

A estratégia do grupo era clara: conquistar os maquiadores do Brasil, pois eles seriam os melhores porta-vozes do produto. A tática de comunicação ia além do relacionamento já bem construído d'O Boticário com a categoria. Era preciso conquistar seus corações, aumentar a paixão pela marca e a capacidade que teriam de promover conversas em que a Make B fosse assunto.

O GNT já era parceiro de mídia d'O Boticário. Partindo da necessidade do anunciante, à época o GNT ofereceu a produção no Brasil de um *reality show* internacional, que tinha algumas edições na China. O *Beauty Academy* era uma competição em que maquiadores profissionais e semiprofissionais competiam por um contrato com a marca. A primeira edição do programa na China contou com o patrocínio da Sephora; no Brasil, a Make B abraçou o formato. Foram quatro edições em quatro anos consecutivos em que mais de 12 mil maquiadores competiram por um contrato de R$ 100 mil com O Boticário.

O *reality*, produzido no Brasil pela produtora Moonshot, tornou-se uma das maiores audiências do canal GNT quando exibido. Contava com os tradicionais cacoetes de *reality shows* adorados pela audiência: confinamento numa casa da beleza, conflitos, emoção à flor da pele, convidados especiais que eram referência para o grupo e provas que testavam a capacidade de administrar tensão e talento. O entretenimento era evidente para o público e para a categoria de maquiadores. As inscrições feitas também nas lojas O Boticário potencializavam o contato de maquiadores com a marca Make B. O público, composto então pela audiência com poder de compra do GNT e por maquiadores brasileiros, consumia visualmente o portfólio de produtos Make B explicitados em provas que garantiam a visibilidade necessária para as coleções da marca, inclusive as sazonais. O aparecimento no programa se dava de forma conjunta com a presença dos produtos nos pontos de venda. A maleta que cada maquiador recebia ao ser selecionado para o programa era comentada nas redes sociais como sonho de consumo da audiência, fazendo que o GNT e O Boticário colocassem no ar uma promoção de sorteio de maletas completas de maquiagem na edição de 2015. E os quatro vencedores do *reality*, além de muitos outros que ficaram entre os mais bem colocados, continuaram a carreira com O Boticário, tornando-se embaixadores e representantes da marca Make B em eventos para o segmento e para o público.

Figura 13. Elenco de competidores da segunda temporada do *Desafio da Beleza* (foto: Márcia Alves)

Do ponto de vista de estratégia de marketing, o *Desafio da Beleza* foi um produto exclusivo para a categoria de maquiadores. Mas foi, sobretudo, um conteúdo de entretenimento para todo o público que assistia ao programa. Destaco uma questão que sempre permeou os debates das equipes responsáveis pela estratégia: será que não há exposição demais de produtos Make B e menções a O Boticário, de modo que isso possa prejudicar a experiência do público? O aprendizado na trajetória do programa e a reflexão sobre o sentido para a audiência foram, aos poucos, conclusivos: como se tratava de um produto de entretenimento em que o tema beleza permeava a narrativa, o prêmio, que era um contrato com a marca, e a plasticidade dos produtos Make B compunham o *glamour* do programa. Portanto, do ponto de vista de aparição de marca, quanto mais produto, melhor. Era ali que a audiência conseguia se projetar, em meio a uma das marcas líderes no mercado, rodeada de produtos de qualidade e imaginando-se ganhando R$ 100 mil para representá-la. O debate, portanto, deve passar por esse sentido que o conteúdo gera para a audiência. Imaginar-se no lugar do espectador ajuda-nos a descobrir se o *branded content* vai gerar uma narrativa que represente um desejo de identificação por parte da audiência. Importante também ressaltar que não havia um propósito necessário para que a Make B estivesse à frente de uma narrativa que fizesse sentido para os consumidores da marca e para o público que gosta de *reality shows*. O objetivo da marca, claro desde o início, era estreitar os laços com o universo de maquiadores. E isso bastava para seu *branded content*.

Cacau Show em *reality show* de competição de empreendedorismo

A Cacau Show é a maior rede de chocolates finos do mundo e tem sua marca calcada na figura do *chocolatier* Alexandre Costa, seu fundador. Visitar a fábrica da empresa, situada às margens da rodovia Presidente Castello Branco, em São Paulo, é tomar contato com esse universo de empreendedorismo brasileiro de doces à base de cacau. A experiência é tão fascinante que a paixão pela marca desperta no local. Na entrada, é possível atravessar uma miniestufa de plantas de cacau antes de chegar à recepção. De lá, enquanto se aguarda para uma eventual reunião, pode-se apreciar o método de preparo da linha Bendito Cacao, cujo processo denominado *bean to bar* (da semente à barra) produz chocolates com até 85% de cacau. Ali também está o Fusca 78 que Costa utilizava para comercializar seus produtos de porta em porta, ampliando posteriormente sua rede até se tornar fabricante e varejista de um portfólio completo, que inclui trufas, barras de chocolate, sorvetes e panetones.

Os largos corredores do escritório da Cacau Show, no andar de cima da fábrica, podem ser percorridos em bicicletas disponibilizadas aos funcionários. Uma cozinha no meio do salão convida todos a comer juntos. Ao lado da cozinha, há ainda um grande auditório aberto. E a saída da fábrica ou do escritório pode ser feita de maneira convencional ou por um longo escorregador laranja que, ao final, abre-se para uma loja gigante, com produtos e diversão para o público – entre eles, um carrossel de um miniparque de diversões.

A descrição desse ambiente talvez não faça jus ao fascínio que é visitá-lo, mas pretende ilustrar as possibilidades de geração de conteúdo que, assim como a fábrica, visam aumentar a paixão pela marca e pelos produtos, indo além das sazonais campanhas tradicionais para o varejo de chocolates (como em datas comemorativas). Para a Cacau Show, estava claro que ali havia dois temas para se pensar em um *branded content*: o chocolate e o empreendedorismo. E transmitir esses valores em um *reality show* de competição teria grande potencial de conectar a audiência pela diversão. Apresentado pela modelo Carol Ribeiro, o programa, fruto de parceria da Band, exibidora, e da Endemol Shine Brasil, produtora, pretendia transformar empreendedorismo em entretenimento, caindo como uma luva para a história de uma marca como a Cacau Show. Na dinâmica, 40 participantes eram divididos em times multidisciplinares, com *chefs*, engenheiros de produção e publicitários. A equipe que desenvolvesse o melhor conceito de produto para o portfólio Cacau Show ganharia *royalties* sobre a comercialização do produto. O time vencedor teve seu produto lançado pela marca: um creme de cacau denominado Slack, com duas variedades.

Durante a exibição do *reality show* na Band, o empresário Alexandre Costa cumpria o papel de mentor, figura comum nesse tipo de entretenimento, que não só inspira os participantes como também os orienta e, eventualmente, julga algumas das provas. Além da viabilização de um produto nascido de uma dinâmica de entretenimento audiovisual, um dos pontos mais interessantes do *reality* é que ele se passava dentro da fábrica da Cacau Show, o cenário ideal para as provas. E, assim como a fábrica ou mesmo suas lojas-conceito, o *reality* foi mais uma ferramenta para valorizar esse universo criativo de produção e empreendedorismo emblemático para a marca.

Red Bull em campeonato esportivo inusitado
Marca austríaca de bebidas energéticas famosa mundialmente e líder na categoria no Brasil, a Red Bull é reconhecida como um dos principais patrocinadores de esportes e eventos radicais no mundo. Do surfe ao automobilismo, ela também se destaca por apropriar-se de outras competições não convencionais, como campeonatos de *e-sports* (caso da League of Legends), e, sobretudo, por criar outras modalidades e categorias de competição por sua conta e risco. Nesse caso, a marca é conclusiva: é preciso combinar o posicionamento "dar asas" com o mote que respalda a decisão da empresa de se arriscar criativamente; para eventos ousados, o mote deve ser

only Red Bull can do it (só Red Bull pode fazer isso). Em 2012, por exemplo, a marca patrocinou uma missão pioneira e extremamente radical, envolvendo o paraquedista Felix Baumgartner. O atleta, após exaustivo preparo e conscientização sobre os perigos (hemorragia cerebral e perda de consciência na queda eram alguns deles), foi lançado a 39 mil metros do nível do mar, atingindo a estratosfera, e, ao descer, bateu alguns recordes: realizou o salto de paraquedas do ponto mais alto do planeta e superou a velocidade do som sem ajuda mecânica.

Bem menos radical que isso, mas ainda assim extremamente inusitada, foi a corrida Ladeira Abaixo que a marca promoveu em abril de 2019 em São Paulo. O torneio convidou 70 participantes a descer montados em banheiras tunadas uma das ruas mais íngremes da capital paulista. Os participantes adornavam seus "veículos" com rodinhas da maneira que quisessem e, ao final da ladeira, recebiam a nota de um júri montado para avaliar não só a completude do percurso como também a criatividade. O prêmio para a equipe vencedora foi uma viagem para visitar a fábrica da Red Bull Racing, na Inglaterra.

Diferentemente das tradicionais exibições de esportes radicais ou ao ar livre que a Red Bull exibe em canais como o Off, a Red Bull Ladeira Abaixo, pelo tom de humor, foi exibida no programa *Legendários*, atração de humor então comandada por Marcos Mion na TV Record. No YouTube, o engajamento com o conteúdo foi alto (quase 40 mil interações) para as suas mais de 3 milhões de visualizações. Além dos desdobramentos que o próprio programa *Legendários* fez no YouTube, é possível acompanhar ainda hoje todo o conteúdo gerado espontaneamente por usuários que presenciaram o evento em São Paulo, comprovando o engajamento com o entretenimento promovido pela marca e a relevância do conteúdo.

AS *LIVES* CONSOLIDADAS COMO FORMATO DE ENTREGA MUSICAL

Não é algo exatamente novo o fato de marcas patrocinarem *shows*, eventos musicais e até mesmo grandes artistas. Na década de 1990, grandes eventos musicais, que foram capazes de trazer artistas celebrados pela juventude brasileira, eram bancados por marcas de cigarro que usavam a música como seu território de conexão com a juventude para propagar seu estilo de vida. Quando a legislação brasileira passou a proibir que marcas de cigarro patrocinassem conteúdo cultural e publicitário, os grandes festivais foram rapidamente abocanhados por empresas telefônicas e provedores de internet, que disputavam o recém-privatizado mercado de celulares e dados. Oi, Vivo, TIM e Claro trouxeram astros, deram nome a casas de *show* e promoveram eventos – alguns pagos, outros gratuitos –, mas sempre estiveram empenhadas em fazer da música o território de conexão com suas marcas. A TIM ainda se mantém sólida nesse território, comunicando melhor sua parceria com o provedor musical Deezer, mesmo que outras operadoras ofereçam serviços semelhantes com o concorrente Spotify.

    Outras marcas também têm na música seu território de conexão, sobretudo pelo fetiche mundial pelo público jovem – tanto pela meta de conquistar essa faixa etária para supostamente tê-la fiel pelo resto da vida quanto pela ideia de que é o jovem quem mais produz, consome e contribui para os resultados. As marcas continuam se associando a narrativas e festivais prontos – do Rock in Rio à Festa do Peão de Barretos, passando, inclusive, pelo videoclipe da artista Manu Gavassi, que pintou o cabelo de loiro patrocinada por uma marca de beleza para filmar, em 2020, o hit "Deve ser horrível dormir sem mim". Mas a crise sanitária mundial do coronavírus, que impactou diretamente o setor musical por impossibilitá-lo de fazer *shows* com segurança, abriu campo para que as marcas escolhessem, financiassem e propagassem em plataformas, sobretudo digitais, *shows* de artistas que mais se aproximassem de seus valores. A explosão das *lives* de músicos e bandas começou no início da quarentena brasileira de 2020, com *shows* de músicos como Marília Mendonça, Luan Santana, Alok e Anitta, patrocinadas por marcas como Stone, Claro, Brahma e Samsung.

O formato cresceu e consolidou-se de tal forma que, no carnaval de 2021, com o país ainda em confinamento e os desfiles, *shows* e blocos cancelados, a montadora Audi uniu as cantoras Ivete Sangalo e Claudia Leitte numa *live* para promover seu carro elétrico. Afinal, se o tradicional trio elétrico não poderia sair em Salvador, as duas, direto de um hotel na Praia do Forte, na capital baiana, entretiveram não só o folião que – espera-se – ficou em casa como, ainda, ampliaram o *awareness* e o apreço pela Audi como marca de carro elétrico, já que as conversas e a mídia espontânea sobre o assunto foram gigantescas. A *live* foi transmitida pelo YouTube, plataforma usual do formato, e também pelo canal de TV por assinatura Multishow.

CRUZAMENTO DE NARRATIVAS ENTRE MAIS DE UMA MARCA

Em 2017, o GNT e o coletivo criativo Asas uniram esforços para um exercício de cocriação inédito nos ambientes que frequentamos ou em que atuamos. Reunimos marcas com intersecção de visão de mundo e propósito para que, juntos, numa espécie de cocriação ao vivo, compartilhássemos com a audiência, sem filtro, o que pensam as pessoas físicas por trás das pessoas jurídicas das marcas que representam. Natura, Itaú, Molico e GNT toparam a empreitada e partiram conosco para o Instituto Inhotim, em Brumadinho (MG). Ali, ao lado de três pensadores, elas refletiram em frente às câmeras, a céu aberto, enquanto caminhávamos e dialogávamos com obras de arte contemporânea de artistas brasileiros e mundiais.

Assim como uma conversa que ocorre de forma viva em redes sociais, decidimos construir uma narrativa partindo de uma interação real entre representantes de marcas que, ao mesmo tempo que discutiam as questões ligadas aos três temas levantados – empatia, futurismo e maturidade –, refletiam de modo transparente sobre o fruto de sua atividade. O objetivo era promover uma identificação humanizada com as marcas. Para tanto, convidamos o economista Oswaldo Oliveira, a futuróloga Lala Deheinzelin e o médico Alexandre Kalache, todos autoridades em sua área de atuação.

No documentário, os destaques foram as pessoas por trás das marcas. Ele foi exibido nas plataformas do GNT e divulgado pelas três marcas. Com o título *Quando somos quem queremos ser?*, a produção ligava os especialistas aos líderes das marcas, que puderam debater cada assunto. Tudo isso embalado pela composição estética das obras de arte e dos jardins que compõem o Instituto Inhotim. Em termos de conteúdo para a audiência, o resultado ficou sofisticado. Mas a intersecção de propósitos, os territórios escolhidos e a parceria fizeram da atividade um dos exercícios de cocriação mais originais do mercado.

8.
Reflexão final

É provável que todos os leitores deste livro saibam o que é uma peça de Lego. É possível reconhecê-la em sua unidade bem como nas estruturas que a constituem. Cada modalidade formatada transmite o que de fato o Lego é: uma marca focada em permitir a criatividade de quem quer construir. O Lego transformou-se não só naquilo que a mente das crianças pode criar como também em um elemento facilmente reconhecido por consumidores que já tiveram algum tipo de contato com a marca e o produto. A marca Lego, em essência, tem elementos que comunicam seus valores. Ela pode ser transformada no que quiser e, além de toda a comunicação de novidades e ofertas, foi capaz, ao longo de sua trajetória, de transpor seus valores e sua missão para parques temáticos, esculturas públicas e filmes. Em todos os pontos de contato da marca com o consumidor, há clara identificação do que é o Lego, do mínimo denominador comum ao máximo em que ele pode se transformar. Do produto à atuação, tudo aí é *branded content*.

Faça uma reflexão sobre as marcas com que você se relaciona ou que o representa. Imagine que elas sejam também uma peça de Lego. Será que elas transmitem sua essência em cada ponto de contato com todos aqueles com quem se relaciona? O estudo dos fundamentos e da prática do *branded content* tem que ver com isso: se, como formato, seu principal objetivo é ampliar a consideração, o interesse e a apologia à marca, ele pode estar presente em todas as histórias que esta conta ao consumidor. Se a narrativa é relevante, não há motivo para que o publicitário fique preocupado se está interrompendo a experiência de quem se relaciona com a marca. Ela deve ser boa, pertinente, agregadora, mesmo que em um tradicional comercial de TV ou em uma peça de seis segundos antes de visualizar um vídeo no YouTube. Essa capacidade de transformação múltipla, ancorada em valores claros, é o que possibilita o posicionamento da marca como conteúdo relevante para o meio em que atua. Disseminada por todas as pontas, reforça uma narrativa intrínseca que deve estar presente. Pensar nessa narrativa como relevante e estendê-la a toda a atuação da marca é o compromisso do *branded content*.

As camadas de engajamento das narrativas operam sempre no nível da identificação e da representação. Identificar-se com algo é um movimento que todos nós, seres humanos, procuramos. Para nos identificarmos com elementos da nossa cultura, entre eles as narrativas de conteúdo, é preciso perceber que, de alguma forma, elas nos representam. Que características da marca permitem essa projeção identificatória do público? Para engajar o consumidor, talvez a mais importante orientação seja não enxergá-lo apenas como um cidadão disposto a dedicar dinheiro ou atenção à marca. É preciso engajá-lo como cada um de nós gostaria de ser engajado. Vivemos em um tempo em que a maior e mais importante perspectiva de contorno social para o indivíduo tem se dado por meio do consumo. Hoje, as ideologias convalescem, o Estado gera identificação para grupos, e não para um conjunto. E até mesmo o futebol, que já uniu brasileiros em tempos de Copa do Mundo, vive uma fase de desilusão. O consumidor somos nós, e queremos ser representados com dignidade. Se uma marca reduzir a relação com o consumidor ao aspecto operacional, reduzirá o potencial de uma relação que pode ser ainda mais humanizada.

Referências

COMUNICAÇÃO E CULTURA

BAITELLO JUNIOR, N. *A era da iconofagia: reflexões sobre imagem, comunicação, mídia e cultura*. São Paulo: Paulus, 2014.

BALLERINI, F. *Poder suave (soft power)*. São Paulo: Summus, 2017.

BAUMAN, Z. *Ensaios sobre o conceito de cultura*. Trad. Carlos Alberto Medeiros. Rio de Janeiro: Zahar, 2012.

CANCLINI, N. G. *Consumidores e cidadãos: conflitos multiculturais da globalização*. 4. ed. Trad. Mauricio Santana Dias e Javier Rapp. Rio de Janeiro: Ed. UFRJ, 2001.

DU GAY, P. et al. *Doing cultural studies: the story of the Sony Walkman*. Thousand Oaks/Londres: Sage/The Open University, 1997.

FLUSSER, V. "A consumidora consumida". *Comentário*, ano XIII, v. 13, n. 51, jul.-set. 1972.

_____. *O universo das imagens técnicas: elogio da superficialidade*. São Paulo: Annablume, 2008.

_____. *O mundo codificado: por uma filosofia do design e da comunicação*. Trad. Raquel Abi-Sâmara. São Paulo: Ubu, 2017.

HALL, S. "A centralidade da cultura: notas sobre as revoluções culturais de nosso tempo". *Educação & Realidade*, v. 22, n. 2, Porto Alegre, jul.-dez. 1997, p. 15-46.

_____. *Da diáspora: identidades e mediações culturais*. Trad. Adelaine La Guardia Resende et al. Belo Horizonte: UFMG, 2003.

MORIN, E. *Cultura de massas no século XX: o espírito do tempo*. Trad. Maura Ribeiro Sardinha. Rio de Janeiro: Forense, 1975.

_____. *O enigma do homem: para uma nova antropologia*. Trad. Fernando de Castro Ferro. Rio de Janeiro: Zahar, 1979.

Motta, L. G. "Jornalismo e configuração narrativa da história do presente". *E-Compós*, v. 1, dez. 2004. Disponível em: <https://www.e-compos.org.br/e-compos/article/view/8/9>. Acesso em: 16 fev. 2021.

UNIVERSO PSI

Freud, S. *Totem e tabu: algumas correspondências entre a vida psíquica dos selvagens e dos neuróticos*. Trad. Renato Zwick. Porto Alegre: L&PM, 2013.
Jung, C. G. *Man and his symbols*. Nova York: Dell Publishing, 1968.
Laplanche, J. E.; Pontalis, J.-B. *Vocabulário da psicanálise*. Trad. Pedro Tamen. 9. ed. São Paulo: Martins Fontes, 1986.

PUBLICIDADE E MARKETING

Abreu, F. F.; Alves, D. C. "*Branded content*: entretenimento e engajamento na era do vídeo sob demanda". *GEMInIS*, v. 8, n. 2, 29 ago. 2017, p. 48-67. Disponível em: <https://www.revistageminis.ufscar.br/index.php/geminis/article/view/296/263>. Acesso em: 15 fev. 2021.
Asmussen, B. *et al*. *Defining branded content for the digital age: the industry experts' views on branded content as a new marketing communications concept*. Londres: BCMA/Oxford Brookes University/Ipsos MORI, jun. 2016. Disponível em: <https://www.thebcma.info/wp-content/uploads/2016/07/BCMA-Research-Report_FINAL.pdf>. Acesso em: 4 fev. 2021.
Dentsu Aegis Network. *New brand balance*. Londres, 2018. Disponível em: <https://www.dentsuaegisnetwork.com/us/en/reports/new_brand_balance_pdf>. Acesso em: 4 fev. 2021.
IPG Media Lab; Forbes. *Storytelling: the current state of branded content*. 2016. Disponível em: <https://www.ipglab.com/wp-content/uploads/2016/09/IPG-Lab--Forbes-Storytelling-The-Current-State-of-Branded-Content-Deck.pdf>. Aceso em: 4 fev. 2020.
Jenkins, H. *Cultura da convergência*. Trad. Susana Alexandria. São Paulo: Aleph, 2008.
Kantar Ibope Media & Squid. *O marketing de influência no Brasil*. 26 maio 2020. Disponível em: <https://www.kantaribopemedia.com/estudos-type/o-marketing--de-influencia-no-brasil-kantar-ibope-media-squid/>. Acesso em: 25 fev. 2021.
Kotler, P.; Kartajaya, H.; Setiawan, I. *Marketing 4.0: moving from traditional to digital*. Hoboken: John Wiley & Sons, 2017.
LinkedIn. *The long and short of ROI: why measuring quickly poses challenges for digital marketers*. 2019. Disponível em: <https://business.linkedin.com/content/dam/me/business/en-us/amp/marketing-solutions/images/marketing-roi/pdf/The_Long_and_Short_of_ROI.pdf>. Acesso em: 4 fev. 2021.

Nielsen Insights. "Quality *branded content* outperforms pre-roll advertising". 20 jul. 2016. Disponível em: <https://www.nielsen.com/us/en/insights/article/2016/quality-branded-content-outperforms-pre-roll-advertising/>. Acesso em: 4 fev. 2021.

_____. "The power of context: driving brand equity with contextually-relevant advertising". 27 fev. 2017. Disponível em: <https://www.nielsen.com/nz/en/insights/article/2017/the-power-of-context-driving-brand-equity-with-contextually-relevant-advertising/>. Acesso em 4 fev. 2021.

Pereira, P. J. (org.). *The art of branded entertainment*. Londres: Peter Owen, 2018.

Rapaille, C. *The culture code: an ingenious way to understand why people around the world buy and live as they do*. Nova York: Broadway, 2006.

Sheikh, O. *et al*. "The future of advertising". Credit Suisse, Global Equity Research Media, 25 abr. 2017. Disponível em: <https://plus.credit-suisse.com/rpc4/ravDocView?docid=V6BqP32AF-WErKbi>. Acesso em: 15 fev. 2021.

Yanaze, M.; Freire, O.; Senise, D. *Retorno de investimentos em comunicação: avaliação e mensuração*. 2. ed. São Caetano do Sul/Rio de Janeiro: Difusão/Senac, 2013.

Agradecimentos

Este livro não teria sido escrito sem o convívio diário que tive com profissionais do mercado publicitário brasileiro ao longo de mais de dez anos. Obrigado a todos os que fizeram parte dessa jornada, sobretudo à equipe comercial da Globo, a todo o time dos canais GNT e Viva, à minha diretora, Daniela Mignani, aos produtores associados, ao elenco envolvido e a todos os que passaram por minha equipe, sempre generosa, guerreira e leal. Não posso deixar de agradecer também à paciência e ao amor do meu marido, companheiro de mim e, de quebra, das minhas angústias e entusiasmos diante dos projetos em que acredito.

Fique em contato. Mantenha-se atualizado sobre o tema.
- www.brandedcontentbrasil.com.br
- IG: @brandedcontentbrasil
- contato@brandedcontentbrasil.com.br